Biblioteca Era

Eduardo Antonio Parra

◆

Parábolas del silencio

Eduardo Antonio Parra

◆

Parábolas del silencio

Ediciones Era

El autor agradece el apoyo que recibió de la John Simon Guggenheim Memorial Foundation y del Sistema Nacional de Creadores de Arte durante la escritura de estos textos.

Primera edición: 2006
ISBN: 968.411.677.2
DR © 2006, Ediciones Era, S.A. de C.V.
Calle del Trabajo 31, 14269 México, D.F.
Impreso y hecho en México
Printed and made in Mexico

www.edicionesera.com.mx.

Índice

◆

para Claudia Guillén, como todas mis palabras

*para Carolina Farías, sin quien
estas páginas no habrían sido posibles*

Al acecho

◆

para David Toscana

Cada vez que una gota de sudor le escurre a las pestañas, antes de que la sal le provoque escozor Bosco sacude la cabeza como si repitiera su negativa de llevar a cabo la encomienda. No, viejo. No lo haré. No puedo. En veinte años no ha encontrado un motivo justo para esa venganza. Mejor dejar las cosas así. Vivamos en paz. Cuando la gota persiste y resbala hasta la punta de la nariz, él suelta por un segundo la empuñadura de la escopeta, barre con dedos engarrotados la humedad de su rostro y envuelve la calle en una mirada. El calor de agosto es un cerco sólido que redobla su nerviosismo. Cualquier ruido le provoca sobresaltos. Una gata preñada que hace un instante se deslizaba a dos metros del escondite, acaso explorando las bolsas de basura en busca de comida, le alteró el ritmo del corazón y Bosco creyó que las costillas le dolían a causa de los latidos. La espera de horas ha sido un martirio para sus músculos, pero su mayor tortura es de orden espiritual: aun estando ahí, armado y al acecho, su voluntad se rebela contra la idea de disparar sobre Ángel.

Debes matarlo en cuanto llegue a su casa. Será al anochecer, le dijo su madre con expresión ausente, mas el tono de su voz no admitía réplica. Hoy termina nuestro calvario, hijo. Es el día más importante de tu vida. El más importante. Así lo dijo. Lo recuerda mientras a su espalda un sonido de uñas rasguñando madera le crispa la mano en torno a la escopeta. La gata otra vez. O un tlacuache. Pinches animales. Dirige al suelo el doble cañón, pues por los nervios estuvo a punto de rociar de perdigones la puerta de doña Ruth. Pinche calor. Regresa la vista a la calle y se frota de nuevo la cara. Continúa sudando, aunque siente las plantas de los pies frías, como si la sangre no fluyera en ellas. Vas a ocupar más paciencia y más tamaños de los que has tenido hasta hoy, hijo. Pero debes hacerlo. Sólo así descansarán en sus tumbas los despojos de tu padre y tu hermano Jacobo. Tu papá, que en gloria esté, ansió años este día. Ahora tienes ocasión de darle gusto y hacer justicia. Las palabras maternas giran en su mente, lo marean, empañan por un momento la visión de la casa de doña Ruth.

La noche había caído un rato antes encima de la colonia. Inmóvil desde su puesto de observación, protegido por las sombras de un mezquite y otros arbustos que no supo reconocer, Bosco vio cómo el aire se opacaba con la desgana del ocaso hasta tornarse ocre, cómo la luz de los faroles partía las sombras trazando triángulos amarillos equidistantes entre sí, y cómo, media hora después de haberse ausentado el sol, doña Ruth arribaba a su casa con dos pesadas bolsas del súper. Seguro son para la cena de bienvenida del hijo pródigo, se dijo Bosco en tanto veía a la anciana depositar las compras en el umbral y, con las manos libres, sacar la llave del bolso y abrir la puerta. Luego se iluminó la ventana de la cocina. Enseguida la del cuarto de Ángel. Quiere que luzca limpio, en orden, como si él no hubiera estado veinte años fuera.

Bosco conoce de memoria el interior de la casa. En otra época gastaba tardes enteras en la recámara de Ángel, con Jacobo o sin él. Ahí era donde jugaban cartas, leían revistas, escuchaban discos, veían televisión o hablaban durante horas de las muchachas de la colonia, de los últimos partidos de los Tigres o de sus escapadas al río por el otro lado del cerro, hasta que oían a doña Ruth manipulando la cerradura. Tras el ruido de la puerta, daba inicio un entrechocar de sartenes y cubiertos y una dispersión de aromas que les llenaba la boca de saliva, en una actividad de vértigo que sólo concluía con el llamado a cenar en voz de la señora. Y cocina bien la doña. No se me olvida. ¿Qué le irá a preparar? Pero eso sucedía muchos años antes, cuando doña Ruth aún lo trataba con familiaridad maternal y al verlo acariciaba sus mejillas y le llenaba los bolsillos de chocolates, cuando Ángel y Jacobo eran inseparables y Bosco los consideraba unos héroes y quería ser como ellos o, por lo menos, que lo incluyeran en sus aventuras.

El zumbido de un zancudo susurra un canto rencoroso junto a su oreja. Bosco lo ahuyenta de un manotazo. Se palpa el cuello húmedo tratando de adivinar si tiene algún piquete. La casa de doña Ruth luce desteñida en el sopor nocturno de la canícula, aislada entre su jardín abandonado y los lotes que nunca fueron vendidos a nadie. Desde que él era chico sólo hay cuatro casas en esa cuadra, muy cerca de los confines de la urbanización. En otras partes la ciudad resulta irreconocible en cosa de semanas. ¿Por qué aquí no? Entre nosotros todo sigue igual que hace veinte años: la muerte de Jacobo detuvo la marcha de los días. Unos pasos arrastrándose sobre el pavimento por el rumbo de la avenida lo ponen en alerta. Bosco aprieta el arma y dirige el doble cañón al extremo de la calle. Le urge fumar. Por un instante piensa en los cigarros y el encendedor dentro de su bolsillo, mas la imagen de Ángel, Jacobo y él muy jóvenes, casi niños, jugando en esa misma cuadra le siembra una duda. Hasta entonces no había considerado la posibilidad de que Ángel se encontrara con algún amigo de otros tiempos que se ofreciera a acompañarlo en su regreso a casa. Si es así, ¿los mato a ambos? Ya en este camino, qué más da uno o dos. Me lleva, necesito un cigarro. El dueño de los pasos surge de las sombras a la luz de un farol y Bosco respira, relaja un poco los músculos. Se trata de un maestro de primaria que vive tres cuadras arriba, donde la colonia se confunde con el cerro, cerca de casa de Nidia. ¿Cuándo vas a aparecer, maldito? Al rato no voy a tener fuerza. De por sí…

El recuerdo de Nidia trunca la frase en su cerebro. Nidia. La mancornadora. La viuda negra de Jacobo. Así la nombra la gente del rumbo. ¿Qué pensará del regreso de Ángel? Aunque no era sino una víctima más de los hechos, el asesinato de Jacobo la había transformado de novia fiel en mujer fatal, y las habladurías en la causante de la tragedia. La ciudad es grande, ¿por qué no se busca otra casa? ¿Por el recuerdo de mi hermano?, se preguntó muchas veces Bosco al verla caminar por las banquetas vestida de negro, con la frente gacha, como si se avergonzara de seguir viva cuando el hombre con quien iba a casarse había muerto. ¿Por qué no me fui yo?, se pregunta ahora. Pero en vez de responder se evade en el recuento de las humillaciones sufridas por Nidia. Los amigos de su hermano, sobre todo durante los primeros meses, la ofendían cuando se la topaban en la calle. Más agresivas, algunas de las mujeres escupían a su paso. Incluso hubo una señora casada, amante de Jacobo según algunos, que una tarde se le fue encima y le arrancó varios mechones de pelo en tanto le gritaba puta del demonio, lo mataron por tu traición.

Y es culpa tuya, mamá. La piel de los brazos se le eriza porque ha vuelto a oír rasguños sobre madera. Tú esparciste el rumor. ¿Sospechaste lo ocurrido o en verdad crees que ella fue la causa? ¿Repetías esa versión con el fin de protegerme? Pinche calor. El peso de las dudas le vence las corvas. Se encoge en su escondite hasta quedar en cuclillas, y en cuanto posa las nalgas en los talones una corriente de alivio le atraviesa el cuerpo. Los grillos difunden su canto por los cuatro extremos del terreno. Un piar rítmico, espaciado, se deja oír por donde el baldío invade la banqueta. Bosco cierra los ojos un minuto, lo suficiente para que la imagen de un Jacobo iracundo, la noche de la desgracia, ocupe por completo el espacio de su memoria. Recuerda el rostro de su hermano distorsionado de rabia, lo ve gesticular, sufre de nuevo en el cuerpo entumecido los golpes de Jacobo, escucha las maldiciones con que aquel lo fulminó antes de salir dando un portazo del cuarto que compartían. Un nudo de aire, sólido y sucio, obstruye la garganta de Bosco. En sus ojos hay lágrimas semejantes a las de veinte años atrás, cuando se quedó solo en la habitación, mas la huida loca de una rata cerca del mezquite lo hace reaccionar como si despertara de un mal sueño. La silueta felina también cruza veloz frente a él, y tras entablarse una corta batalla de maullidos furiosos y chillidos histéricos Bosco se descubre de pie, con las piernas trémulas, el pecho agitado, apuntando la escopeta hacia donde la gata ha conseguido callar a su presa. Carajo. Eso es eficacia. Un ataque sorpresa y ya. ¿Tendré que hacer lo mismo? Trata de serenarse. Recorre cada uno de los triángulos luminosos de la calle antes de fijar las pupilas en la puerta de doña Ruth.

Estaba durmiendo. Lo recuerda. A lo largo de dos décadas ha evadido las escenas de aquella noche con la ayuda de la rutina y del tabaco, mas ahora que no puede fumar le resulta imposible anteponer una cortina de humo a la memoria. Los remordimientos, el miedo a lo que sucedería y el dolor en las costillas por los puñetazos de su hermano lo mantuvieron insomne unas horas, pero al fin el cansancio lo venció. Durante la madrugada creyó oír entre sueños el timbre de la casa. Quizá Jacobo olvidó las llaves, pensaría. Luego, pisadas en los pasillos; el siseo de las pantuflas del viejo. Despertó con los gritos de su madre. ¡No! ¡No es cierto! Y el llanto agudo, a borbotones. ¡No puede ser, Dios mío! Después muebles que se movían, objetos que se estrellaban en las paredes y las vociferaciones del viejo jurando venganza tantas veces y tan alto que ya no se distinguían los lloros femeninos. ¡Hijo de la chingada! ¡Lo voy a matar! ¡Yo! ¡Con estas manos! ¡Déjenlo libre! ¡Que se largue! ¡Lo voy a hallar donde esté! Cuando el escándalo hizo saltar a Bosco de la cama halló las luces encendidas y la casa llena de gente. Dos uniformados sujetaban al viejo que, cebollero en mano, en ropa interior y pantuflas, insistía en salir. Una mujer hervía agua para té en la estufa. El vecino de enfrente buscaba una botella de brandy. Bosco veía aquel ir y venir sin preguntar nada por temor a una respuesta que muy dentro de sí ya presentía. Pero, al notar su presencia, el viejo caminó hacia él con aire solemne y mirada enfebrecida. No lo abrazó, ni lo tocó siquiera. Sólo dijo, como repasando las líneas de un guión escrito a propósito: Mataron a Jacobo. El infeliz de Ángel asesinó a tu hermano en la cantina. Y agregó, sonriendo a manera de consuelo: No te preocupes, hijo. Nos vamos a vengar. Le voy a quitar la vida a ese mequetrefe con estas manos.

Un grupo de muchachos viene por la calle pateando un balón y Bosco se inmoviliza. Su quietud repentina atrae la atención de la gata, que emite un ronroneo. No la distingue, tan sólo adivina entre la yerba los destellos dorados de sus ojos y la silueta fosca inclinada sobre el cadáver de su presa, destazándola con colmillos y garras. Los adolescentes gritan algo y Bosco no lo entiende. Ríen. Ensayan jugadas en una cancha imaginaria y trotan y golpean la pelota produciendo un sonido que gana volumen conforme se acercan. La cabeza de doña Ruth surge en el cuadro amarillo de la ventana. Parece sonreír. Uno de los jóvenes la saluda. Otro hace un comentario y Bosco reconoce el nombre de Ángel en sus palabras. Ellos también saben. No se habla de otra cosa. Váyanse pronto, huercos, no les vaya a tocar un escopetazo. Todavía los ve dirigir unos pases antes de alejarse. Luego se pone de pie y los contempla a distancia. El mayor debe andar por la edad de Jacobo al morir, diecinueve años; el menor rondará los catorce, los que tenía Bosco. Se le escapa un suspiro. Voltea adonde hace unos minutos vislumbró las pupilas de la gata y le sonríe al negro vacío con tristeza mientras recuerda que aquella madrugada ni su padre ni su madre supieron responder a la pregunta que les hizo. ¿Cómo que Ángel mató a mi hermano? Eran carnales, ¿no? ¿Por qué?

Jacobo y Ángel se habían hecho íntimos en sexto año de primaria, cuando sus familias se mudaron a ese fraccionamiento recién urbanizado del sur de la ciudad. Con un crédito de su corporación policiaca, el padre de Bosco pudo comprar una casa de dos recámaras en una calle donde sólo había dos terrenos sin construir. En cambio, doña Ruth decidió invertir lo del seguro de vida de su difunto marido en uno de los lotes grandes en los límites entre la colonia y el cerro, donde la mayor parte de los terrenos permanecían baldíos. Los dos niños coincidieron en la escuela. Al principio se cayeron mal, pues eran los más altos del grupo, los mejores en el futbol y quienes atraían mayor número de miradas femeninas. No obstante, su rivalidad terminó con una bronca después de clases, en la que Bosco presenció lleno de asombro infantil cómo su hermano molía a golpes a ese niño desconocido y al mismo tiempo era masacrado por él en una paliza bárbara que los dos dieron por finalizada con un abrazo en el que mezclaron su sudor, sus lágrimas y sus sangres.

A partir de ese día no volvieron a separarse por años. Se convirtieron en los líderes, primero de la escuela, más tarde de la colonia. Organizaban las excursiones al cerro o al río, los partidos de futbol, el asedio a las muchachillas, y Bosco siempre iba detrás de ellos, admirándolos sin reserva, tratando de aprender sus poses, su manera de jugar, sus frases ingeniosas. Entrada la adolescencia, las cosas comenzaron a cambiar. Con las hormonas en ebullición, Jacobo se repartía entre varias novias a la vez, en tanto Ángel, aunque gozaba de un atractivo idéntico con el sexo opuesto, prefería seguir encabezando la tropa de varones. Fue por esos días que Bosco se acercó a él y se convirtió en su pupilo preferido. Incluso llegó a sentir celos cuando Jacobo apareció de nuevo para acaparar la atención de Ángel. Su hermano parecía haberse cansado de su rol de casanova. Limitó sus relaciones amorosas a Nidia, y a las escapadas que se daba de vez en vez para visitar a mujeres adultas por la noche, si vivían solas, o por las mañanas si tenían marido e hijos. Había organizado sus aventuras de tal modo que podía verse a diario con Ángel y, en los meses que precedieron a su muerte, ambos habían vuelto a ser inseparables. La única diferencia era que ahora sí incluían a Bosco en sus asuntos.

Fue culpa de esa perdida, dijo su madre la tarde siguiente del entierro. Ángel ya se hallaba tras las rejas y el padre de Bosco enloquecía de desesperación por no haberlo podido matar antes de su captura. Ahora va a ser difícil, decía. Ni modo que entre al penal a buscarlo. Los presos me odian, a muchos los encerré yo. Me matarían ellos primero. Esa puta le puso los cuernos con Ángel, por eso Jacobo lo buscó en la cantina, insistía la madre. No importa la causa, mujer. Ese cabrón se va a morir; malo que no sea ya. Si hasta mi compadre el capitán me vendió una escopeta. ¡Pos úsala castigando a esa golfa! ¡Por ella nuestro hijo no está! Bosco escuchó por años las discusiones de sus padres en silencio, con el estómago hecho una piltrafa y la culpa desgraciándole los intestinos. Al principio abrigaba la esperanza de que el tiempo aliviara en ellos el dolor y los deseos de revancha, mas pronto comprendió que, al contrario, los recrudecía. Ni siquiera el deceso de su padre, hace cinco años, le trajo un remanso de tranquilidad, lo piensa ahora que recuerda al viejo con la segueta en la mano y los ojos fuera de sus órbitas, imaginando quién sabe qué escenas macabras mientras recortaba la escopeta. Pobre de mi padre. Murió lleno de rencor. ¿Qué se sentirá tanto odio dentro del pecho? Bosco suspira de compasión. Luego mueve el cuello y oye crujir sus vértebras. Mezclado con el tufo de la basura, hasta su olfato llega un olor a sangre y piensa en el cadáver de la rata. La calle permanece vacía. Desde el paso de los adolescentes con el balón, ni la gata preñada ni la danza zumbante de las moscas sobre los desperdicios han vuelto a importunar su espera. La casa de doña Ruth luce tranquila y en silencio. Nomás el aroma de los guisados que escapa por la ventana de la cocina lo convence de que la anciana aún aguarda el retorno de su hijo esta noche.

Durante el velorio de su hermano varios testigos narraron a retazos cómo habían sucedido las cosas. La llamada cantina no era sino una refresquería donde a la medianoche el dueño comenzaba a servir tragos ilegales a los adolescentes. Se hallaba repleta al llegar Jacobo. Bastante encabronado se veía, dijo el cantinero, un expolicía amigo del viejo. Incluso primero creímos que venía para que le hicieran el paro en una bronca. La sinfonola sonaba duro, y aun así escuché su voz. Vamos afuera, hijo de la chingada. Lo jaló del brazo. Quiero hablar contigo. No voy a mentir, el muchacho traía cara de amante despechado. Las facciones de la madre de Bosco se transformaban conforme oía el relato. De tanto en tanto echaba una mirada fiera hacia el centro de la sala, donde Nidia lloraba junto al féretro. Bájale de huevos, contestó el otro. A mí ningún putito me habla así. En eso vino el primer chingadazo y Ángel se fue de espaldas junto con la silla. Y ya no pude ver nada porque me hallaba detrás de la barra y la tropa de huercos mirones se amontonó alrededor de ellos. Eso sí, oía los pujidos de los dos. Después un ruido de cristales y los gritos de horror de las morras. Más tarde un silencio raro, y digo silencio porque se sintió a pesar de la música y de los comentarios asustados de los testigos. Duró un buen rato. Al dispersarse el montón de mirones, Ángel ya había corrido y Jacobo estaba tirado en el piso enmedio de un charco rojo. La madre recogió varios testimonios más. Caminaba rígida entre los jóvenes asistentes al duelo, les repartía café con ademanes secos en los que desde entonces se advertía la terquedad de su resolución, y les preguntaba si habían visto morir a su hijo. Bosco la seguía en silencio con una botella de brandy en la mano. Añadía chisguetes de licor a los cafés y aprovechaba para captar los pormenores. Madre e hijo se enteraron de que la pelea había transcurrido si acaso en dos minutos, de que Ángel, como si cargara alguna culpa, se había dejado pegar sin responder hasta que Jacobo quebró la botella. Sólo en ese instante reviró, dijo alguien. Las palabras caían igual que balines en el fondo del estómago de Bosco. Se le fue al pescuezo con los vidrios por delante. Andaba ardido, a leguas se veía. Quería matarlo, pero el otro fue más hábil. Para el hermano menor de Jacobo estas revelaciones transformaban el sentido de los hechos. No para sus padres, a quienes la forma, la mecánica de la muerte, les daba igual. Les habían matado a un hijo y eso exigía venganza.

Casi a la hora en que debían trasladar el cuerpo al panteón, una vecina se acercó a la madre. Amiga, no sé si contarte lo que me dijo mi hija. Sería echar más sufrimiento y odio en tu pobre corazón. La mujer se mordió el labio y miró en torno, pero ante el silencio de la dueña de la casa prosiguió. Mi Delfina estaba cerca de Ángel anoche y pudo oír algunas frases durante el pleito. ¿Qué frases?, la voz de la madre de Bosco surgió neutra a pesar del dolor y la fatiga. Sus ojos escrutaban a distancia el semblante de Nidia. Jacobo le reclamó al otro un engaño, murmuró la mujer. Amoroso, creo. A mí ningún hijo de puta me pone los cuernos, parece que dijo. Mal amigo. Traicionero. Así lo llamó. Te vas a morir. Eso no se hace. Y Ángel, antes de mocharle la garganta, cuando forcejeaban por la botella rota, se burlaba de Jacobo entre dientes. ¿Pos no que a ti te sobra con quien coger? ¿Entonces? ¿Qué reclamas, pendejo? Pero después de cortarlo, al mirar que le había abierto la arteria, cayó de rodillas junto a él. Lloraba y le pedía perdón. Perdóname, le decía. No me dejes solo. Yo te quiero, carnal. No te me mueras. Bosco ya no escuchó porque un amigo de su padre le hizo señas para que le llevara el brandy. La vecina siguió hablando unos minutos. Luego la madre caminó con tranco resuelto hasta el féretro y agarró a Nidia del codo. Te me largas de aquí, dijo en voz alta. Y agregó con palabras mordidas: Golfa callejera. Sin dar muestra de comprender, la muchacha salió de la casa despacio, emitiendo unos sollozos semejantes a los pillidos que Bosco escucha ahora entre la maleza del terreno, cadenciosos, agudos, tenues. Una tarántula. Seguro. Una de ésas negras y peludas que la gente nombra arañas pollito. Que no se me acerque. Donde me muerda estoy frito. La peste de la basura se le viene encima en densos remolinos. Hay en torno suyo tanta mosca, tanto calor empalagoso, tanto silencio y tanta oscuridad que Bosco no deja de preguntarse por qué no se olvida de todo y se larga. Su camisa podría exprimirse. Para colmo, en el cuello y los brazos le ha empezado la comezón a causa de los piquetes de los zancudos. Ni modo. Debo aguantar. No ha de tardar en aparecer ese cabrón.

Tras la muerte del viejo, Bosco creyó que las ansias de venganza al fin dejarían de rondar a su madre. Habían transcurrido quince años desde el crimen. Ángel continuaba en el penal y se decía que nada quedaba en él del hombre que había sido. Nidia no era sino una sombra silenciosa que de vez en cuando deambulaba por las calles de la colonia. Bosco mismo encarnaba el fracaso absoluto: soltero, sin haber tenido novia nunca, con un trabajo mediocre detrás del mostrador en una papelería cercana a la secundaria donde estudió, representaba muy bien el papel del hijo castrado por la mamá, y lo sabía. ¿Quién podía seguir pensando en un drama de venganza con actores como ésos? Sólo su madre, quien al quedar viuda relevó al viejo en su obsesión y se dedicó a impedir que el hijo viviera en paz recordándole a diario lo que restaba para que el asesino cumpliera la condena. Ni el mismo Bosco supo comprender lo que sucedió entonces en su interior: se enojaba con gran facilidad, enseguida caía en largos periodos sombríos durante los que los ojos se le llenaban de lágrimas por la menor insignificancia, una niña pidiéndole un lápiz en la papelería, un perro muerto en la calle, o darse cuenta de que se le habían acabado los cigarros. El calor, las escasas lluvias, el frío, los atardeceres lo abrumaban hasta dejarlo sumido en la depresión. Envidiaba la vida de los otros, sin sangre en el pasado ni deudas por cobrar. Pero aún sentía lejos la liberación de Ángel y, de tanto evadir pensar en ella, Bosco consiguió bloquear de sus pensamientos lo que tuviera que ver con la venganza. Fue tan eficaz la barrera mental que logró levantar, tan profundo el pozo donde se enclaustró, que ya sólo muy de vez en cuando la voz de su madre lograba penetrarlo. Nomás faltan tres años, hijo. ¿Has practicado tiro con el arma de tu padre? Sí, mamá, mentía él, este sábado me la llevé al cerro. Queda un año, Bosco. Pronto van a descansar los muertos de nuestra casa. ¿Y tú, mamá? ¿Cuándo vas a descansar tú? El día que ese infeliz muera.

Por lo menos parecía haber olvidado a Nidia. Ya no la mencionaba. Como si el paso de los años le hubiera quitado importancia a la culpa de la muchacha, o como si al fin la anciana se hubiera convencido de que ella nunca tuvo nada que ver. Bosco no sabía a qué atribuir aquella especie de perdón a destiempo y la duda lo hacía temblar de angustia. Tiembla ahora también, por la misma razón, mientras practica en la soledad del baldío una serie de flexiones para sentir sangre en las venas. En cuanto la vida regresa a sus piernas, un cosquilleo mordiente se apodera de ellas. Entonces aventura unas zancadas en torno del mezquite y en el terreno se despiertan zumbidos, desplazamientos minúsculos, rasguños, chisporroteos y crepitaciones de los insectos y roedores que reaccionan a su presencia. Un murciélago se desprende de las ramas del mezquite y traza una espiral en el aire sobre la cabeza de Bosco. De manera inconsciente y sin dejar de moverse lleva una mano al bolsillo, extrae un cigarro y se lo pone en los labios. Después agarra el encendedor. Está a punto de prenderlo cuando la puerta de la casa se abre y la figura enjuta de doña Ruth se delinea en el quicio obligándolo a ocultarse.

La anciana camina a la banqueta. Achica sus ojos rodeados de cuadrículas y hunde la vista al fondo de la calle, en dirección de la avenida. No se oye ningún paso. Su rostro, pálido por la luz de un farol próximo, denota nerviosismo e impaciencia. ¿Tendrá miedo de que yo lo haya encontrado antes? Bosco la entrevé a través del follaje de los arbustos. Ella nunca ignoró que papá y mamá juraron vengarse. Pero quizá no me crea capaz de hacerlo. Me quería mucho. Sabe lo cercanos que éramos Ángel y yo. Los pensamientos de Bosco se congelan cuando advierte que doña Ruth ve con atención hacia su escondite, como si presintiera su presencia o hubiera oído su respiración desde el lado contrario de la calle. Sus músculos se quejan. Una contracción le presiona la espalda. Su cráneo late igual que si estuviera agrandándose. Aunque es imposible, siente que la doña lo mira directo a los ojos con gesto severo. De repente un pensamiento le corta el resuello. ¿Sabrá? ¿Ángel le habrá contado en alguna visita? ¿Y si sabe? No. No puedo matar a su hijo. Nunca quise hacerlo. Lo siento, papá. En cuanto doña Ruth se meta me largo de aquí. La anciana continúa en la banqueta porque a lo lejos se escucha un motor acercándose. Su rostro de surcos profundos se suaviza en una mueca de esperanza en tanto contempla el avance del vehículo. Es una granadera. ¿Traerán a su hijo de la misma forma en que se lo llevaron? Sin embargo los policías tan sólo saludan a la anciana con una inclinación de cabeza y pasan de largo para proseguir la ronda nocturna. Ella, con el peso del desengaño sobre los hombros, baja la mirada, da media vuelta y regresa despacio a la casa. Todavía en el umbral mira de nuevo hacia la avenida, pero ante la calle sola no tarda en meterse y cerrar la puerta.

Pobre vieja. Bosco está demasiado cansado y aturdido para ponerse de pie y largarse del baldío. Además, no sabría qué decirle a su madre si regresara sin sangre en las manos. La escopeta ahora le sirve a manera de báculo, impidiendo que caiga sobre la yerba. En este instante no le importan los ruidos que abundan en torno como si a ras de tierra hubiera un hervidero de gusanos. Una cucaracha trepa a la culata del arma, husmea la mano de Bosco, camina por el dorso, y él la retira con una sacudida. Lo único que ocupa su mente es un acceso de compasión por la anciana. Pobre doña Ruth. Ha sufrido más que papá y mamá. Más que Ángel y Nidia. Más que yo. Ella es la verdadera víctima. ¿Cómo voy a causarle otro dolor? El cigarro cuelga aún de sus labios. Con la mano libre lo quita de ahí para arrojarlo a la oscuridad. No hace ruido al caer, mas la silueta de la gata desplazándose como una raya negra le indica el lugar exacto donde fue a parar. Pobre doña Ruth, decía también la madre de Bosco años atrás. Ella sí me da lástima deveras. No conforme con el sufrimiento al que ya la condenó ese malnacido, encima le asesta otro. Pero, ¿tú crees, mujer? Claro, viejo. No me cabe la menor duda. Ese infeliz lleva la maldad adentro. Y nomás eso le faltaba para matar también a la pobre vieja. Bosco no conseguía captar el sentido de las palabras de su madre. ¿Qué te contaron ahora, mamá? ¿Pos qué no oyes? Ángel acabó haciéndose puto en la cárcel. Y dicen que de los más solicitados, que hasta se pinta y se viste de mujer. Y cobra, cobra sus buenos pesos por otorgar sus mugrosas nalgas.

No podía ser verdad. Se trataba de un embuste, seguro. El asesino de su hermano con vestido de mujer, cubierta la cara de afeites, contoneándose entre los criminales por los pasillos del penal era una imagen grotesca que para Bosco era imposible siquiera imaginar. Ángel poseía una belleza extraña, casi femenina, cierto, pero tenía brazos y piernas musculosos, la espalda ancha, las manos del tamaño de un guante de beisbol. Por años se ha negado a creer semejante chisme. Imposible. Son inventos de mamá. O de sus comadres. Sobre todo no lo cree porque las tardes que visitó a Ángel en prisión lo vio con el uniforme caqui idéntico al de los demás presos, el pelo corto estilo militar y, conforme pasaba el tiempo, con barba y bigote bastante tupidos. Muy hombre de apariencia, pues. ¿A poco lo cambiaron tanto ahí adentro? De pronto se le ocurre que si su madre se enterara de esas visitas moriría del coraje. O me mataría a mí a palos. Menos mal que dejé de ir mucho antes de que el viejo falleciera. Se rasca una roncha en el cuello en tanto trata de calcular, por los pillidos, a qué distancia se halla la tarántula. Desde niño las arañas le provocan un desasosiego que raya en el horror. En especial desde que Ángel me echó dentro del traje de baño una enorme, recuerda con un estremecimiento y aprieta la culata del arma en un acceso de rabia. Sin embargo sonríe. Fue cuando comenzaron a incluirme, cuando ya no me veían tan morro. Carajo. Cómo nos divertíamos.

Levanta la vista y contempla la media luna apenas amarilla. No hay nubes ni estrellas. El cielo luce desnudo. Me dejaban juntarme con ellos porque querían agarrarme de puerquito para sus chingaderas. Par de cabrones. Sin borrar la sonrisa de su rostro, Bosco pisa la yerba varias veces en un espacio de un metro cuadrado con objeto de asegurarse de que ni la tarántula ni otros insectos ronden por ahí. Después se sienta en el suelo con la escopeta atravesada en los muslos. En la calle no hay ruido. Dentro de la casa, doña Ruth apaga la luz de la cocina. Iban al río una vez por semana. Al principio Bosco seguía al grupo de muchachos y muchachas de lejos, sin atreverse a pedirles que lo llevaran, y sólo se acercaba al agua si los demás estaban ya en ella. El momento de mayor felicidad en su infancia fue cuando Ángel lo invitó a echarse un clavado. Esa tarde nadaron horas, y al salir casi todos del agua Ángel y Jacobo decidieron divertirse a sus costillas. Lo hundieron, practicaron en su cuerpo algunas llaves de lucha libre y, ante la risa general, le arrancaron el traje de baño, aventándolo lejos para que él saliera desnudo a buscarlo. Bonito me he de haber visto con el pizarrín al aire. Por lo menos puedo presumir: todas las muchachillas de la colonia me conocieron el chile. Pronto aquel juego se volvió tan rutinario que Bosco llegó a creer que la natación era un pretexto de los demás para verlo sin ropa. Lo encueraban incluso cuando sólo iban al río los tres. Si no le quitaban el traje, se contentaban con abrírselo y echarle dentro tierra, cadillos, ortigas o insectos, y de paso agarrarle las nalgas o introducirle un dedo en el culo entre carcajadas. Pero me defendía. Deveras me defendía. Bosco reacciona al oír rechinar sus muelas. Ellos eran más grandes y fuertes, y de cualquier modo les surtía sus madrazos. El pillido de la tarántula ha cesado y en su lugar hay un fuerte zumbido en el aire. La gata se mueve junto a Bosco con excesiva confianza, como si ya lo considerara parte del paisaje silvestre. Sáquese, pinche animal. Patea la maleza y el felino se retira silencioso. A Bosco se le han dormido las piernas de nuevo. Se pone de pie.

El murciélago lleva a cabo nuevas piruetas en torno del mezquite, pero Bosco lo ignora. Piensa en qué dirán los conocidos al enterarse de que ha vengado a su hermano. Bosco el justiciero. Sonríe. El implacable. No. Bosco el asesino. Por fin su apelativo tendrá un significado actual, ya no será el viejo nombre de un santo escrito en letras oxidadas sobre el portal de la iglesia de la colonia. ¿Y después? La cárcel. A vivir a la sombra en una celda de dos por dos. Inmóvil. Solitario. Como ahora. Y la idea de que su vida ha transcurrido dentro de una prisión es una certeza que lo hace estremecerse. Es cierto. Siempre he estado preso. Con un mostrador o la puerta de mi cuarto en vez de reja. Sin visitas los domingos. Mi madre es mi carcelera. Los dos hemos vivido fuera del mundo, del tiempo. También doña Ruth, y Nidia, y Ángel. Bosco se arrima a la banqueta sin abandonar el baldío y la gata lo sigue a cierta distancia. Desde la orilla del terreno son visibles las otras tres construcciones de la cuadra. Ninguna tiene luz en el interior. Más allá se perfila en la noche el resto de la colonia, donde duermen en paz las familias que no tienen venganzas pendientes. Bosco imagina cómo serán sus vidas, sus despertares cotidianos, su convivencia. Conoce a la mayoría; padres y madres son de su edad y lo saludan cordiales cuando se cruzan; les vende a los hijos útiles escolares y los ve sonrientes. ¿Serán felices? Y nosotros, ¿lo fuimos algún día? Recuerda entonces la risa del viejo, la de su madre, la de Jacobo y la suya, siempre a flor de labio; las conversaciones ruidosas, animadas, a la hora de comer, los días luminosos que hubo en su casa hace más de veinte años, y la nostalgia le aviva en el pecho una oleada de rencor mezclado con un áspero remordimiento.

¿Qué traes ahí?, le preguntó Jacobo aquella noche. Había estado hasta el filo de las doce en casa de Nidia y al llegar encendió la lámpara del buró y despertó a su hermano. ¿Dónde? Bosco, aún adormilado, no entendía. No te hagas güey. Ahí, en el cuello. No sé, ha de ser un golpe. Seguro fue jugando luchas. ¿Con quién? Contigo o con Ángel. ¿Por qué preguntas así? Conforme la mente se le despejaba, una angustia súbita le oprimía a Bosco la boca del estómago. Mientras intentaba mostrar indiferencia, comenzó a temblar igual que si hubiera una corriente de aire dentro del cuarto. Había pasado la tarde con Ángel en el río y, como otras veces, sobre todo durante las últimas semanas, al caer la noche ambos habían ido a casa de éste a oír algunos discos. A ver, déjame ver bien. Bosco quiso cubrirse con la sábana fingiendo mucho sueño, pero Jacobo lo inmovilizó, le descubrió el cuello y lo agarró del pelo para acercarlo a la luz. Esto no es un golpe, dijo. Es una mordida. No hubo modo de inventar algo creíble. Como un toque eléctrico, el recuerdo de los grandes incisivos de Ángel prensándole piel y músculo con objeto de provocarle un dolor que mitigara el otro sacudió a Bosco. Imposible confesar. Debía negarlo. Estás loco, Jacobo. ¿Quién me va a morder? De nuevo el ardor en la piel, el aliento de Ángel humedeciéndole la nuca, las orejas, el peso del cuerpo ajeno en la espalda, las manos aferradas a su cintura. Tú mismo lo dijiste. ¿Qué dije? Que fue Ángel. Las facciones de Jacobo se contraían, sus ojos miraban a lo alto como si buscara en el techo respuestas más concretas. Sí, con Ángel juego luchas, igual que tú. Nunca dije que me hubiera mordido. La lengua de Ángel recorriendo las cavidades de su oreja, el aliento que sale de su garganta con pujidos cortos, como si le costara demasiado esfuerzo empujar el miembro a fondo, en tanto Bosco cerraba muy fuerte los párpados, tensaba las mandíbulas y levantaba un poco las nalgas para facilitarle la entrada. En el recuerdo se le enredaban dolor y gozo y, en ese momento, al ver el rostro desencajado de su hermano, miedo y vergüenza. Bosco, ¿cogiste? Jacobo apretaba los puños. Cómo voy a coger, si ni novia tengo. A su pesar, su voz era un hilo agudo, ondulante; las lágrimas estaban a punto de brotarle. Cogiste con Ángel. A ese cabrón le gusta morder cuando coge. No te hagas. ¿Eres puto? ¡No me digas puto! ¿Quién te crees, pendejo? Las últimas frases, semejantes a chillidos femeninos, vinieron acompañadas del llanto. Entonces Jacobo empezó a pegarle sin hablar, en la espalda primero, en las nalgas, en las piernas de un Bosco hecho bola por el miedo, con una violencia seca, carente de alardes; luego lo volteó para tranquearlo de frente, sin tocarle la cara, sólo en las costillas, en el vientre, en los testículos, mientras mascullaba insultos contra el pervertidor. Hijo de puta. Cómo pudo. El castigo se prolongó hasta que, sin fuerza para seguir pegándole a su hermano, Jacobo fue hacia la puerta con grandes trancos. Esto no se queda así. Maldito maricón, me las va a pagar.

Un vehículo avanza por la calle. Él ve la luz de los faros entre la bruma de las lágrimas y retrocede al refugio sin apresurarse, con la escopeta en ristre. El ronroneo del motor es suave, potente, de auto nuevo, y Bosco duda que Ángel venga a bordo. Incluso ya no está seguro de que regrese esta noche. Quizá no vuelva nunca. Si es cierto lo que dijo mamá, sabe que los vecinos lo rechazarán. Esta colonia no admite jotos; mucho menos vestidas. Tal como lo previó, el carro tuerce en la esquina para tomar la calle que conduce a la avenida. Las muelas vuelven a crujirle mientras contempla la casa de doña Ruth, el cuarto de Ángel. Cabrón, ¿por qué tenías que hacerme eso? Era un morrillo nomás... Desvía la mirada hacia donde los ojos de la gata son ahora por completo visibles. No ven a Bosco, siguen el garabateo aéreo del murciélago como si calcularan sus próximas evoluciones. Esos dos puntos dorados flotando en la negrura le provocan una tristeza flácida, empalagosa, que parece cubrirle cada uno de los poros. Preferiría la ira. ¿Por qué nunca pudiste contagiarme tu sentido de justicia, papá? En su mente se atropellan incompletas las exclamaciones iracundas que su padre repitió contra el asesino a través de los años, los juramentos, las amenazas. Se le enredan con las escenas de la noche fatal, le cosquillean por dentro. En eso la gata maúlla con un maullido tierno, un saludo más bien, y él siente que su cuerpo ríe sin que la risa traspase su garganta, como si se balanceara dentro del estómago con contracciones sordas, al pensar que quizás el alma de su padre se esconda bajo la piel de la gata con objeto de vigilar que lleve a cabo la venganza. Y al fin, en forma de mueca, la risa rebasa su boca cuando recuerda que en la secundaria lo hicieron asistir a una obra de teatro donde el protagonista era empujado al crimen por el espectro de su padre muerto. Ser o no ser. Ésa. Sí, el fantasma se la pasaba jodiendo al héroe hasta conseguir que matara al traidor. Pero ese traidor no había recibido un castigo. Ángel sí. Estuvo en la cárcel y ya no es el mismo. El Ángel de antes no existe, papá. Los ojos felinos se desvanecen en la oscuridad. Se escuchan de nuevo el piar de la tarántula y el zumbido de las moscas. Pensativo, Bosco arranca una hoja de arbusto y se la lleva a los labios. En ese instante la idea de matar a alguien que no existe para complacer a quien ya murió le resulta tan absurda como la de disparar la escopeta al cielo con objeto de vengarse de Dios por haber desgraciado su destino.

Ya no soy yo, carnal, le dijo Ángel durante su última visita al penal. Al jovencito que llegó aquí se lo acabaron los malandros y los cachuchones. Y si quedaba algo de él, se lo llevaron la tristeza y la soledad. Lo decía con acento cortado por la desesperación, como si temiera no sobrevivir otra década. Bosco enfermaba de lástima al oírlo, y para que su amigo no lo notara fingía interés en las familias de los demás internos. Se trataba de una escena cíclica: en cada visita Ángel contaba primero su vida en prisión, enseguida ambos revivían los recuerdos compartidos, las travesuras de la infancia, los juegos de manos de la adolescencia que el cautivo mencionaba sin darles importancia y hacían ruborizarse a Bosco. Después venían las frases expiatorias y, por último, las recriminaciones. Lo peor, Bosco, no es la soledad, sino la culpa. Los pinches remordimientos no me permiten vivir. Jacobo era mi otro yo, mi alma gemela. Ese día iba a dejarlo que se desahogara. Total, unos cuantos chingazos y tan amigos. Pero cuando rompió la botella me ganó el instinto y me defendí sin pensar. Bosco fumaba un cigarro tras otro tratando de poner la mente en blanco para reprimir sus sentimientos. Yo lo quería, carnalito. Tú sabes que lo quería. Sí, hombre, no le des vueltas. Fue un accidente, una desgracia. Todos éramos carnales, ¿qué no? Entonces Ángel fijó los ojos en Bosco y hubo en ellos un destello de desprecio. No, güey, Jacobo y yo sí éramos carnales. Tú nomás estorbabas. ¿Te queda claro? La culpa de que yo esté aquí es tuya. Bosco respingó igual que si hubiera recibido un chicotazo. No me digas eso, cabrón. Tú lo mataste. Por tu culpa, putito. Ángel sonreía con rencor. No, más bien por mi culpa, porque no se me ocurrió que Jacobo iba a darse cuenta de que me estaba cogiendo a su hermanito. Bosco se puso de pie y su movimiento hizo voltear a presos y visitantes. Ya me voy, estás muy estúpido. Sí, lárgate. Y no vuelvas, maricón. Cómo no se me ocurrió que tu hermano reconocería mis mordidas en tu pescuezo. ¡Que te calles, pendejo! Bosco caminó hacia la salida. Cállate, cállate, eso no me decías cuando te la dejaba ir hasta mero adentro. ¡Puto! ¡Entonces te encantaba que te dijera mi amor, que estrecho culito tienes! ¡Cómo se ve que los parió la misma puta! El ruido de la reja al cerrarse y las palpitaciones en las sienes le impidieron entender con claridad las palabras finales de Ángel. Al salir del penal, con el sol de la tarde sobre el rostro, se hizo la promesa de no volver a visitarlo.

Bosco se halla de pie, recargado el hombro en el tronco del mezquite, las pupilas fijas en la luz del cuarto del asesino de su hermano. Hace un minuto escuchó el teléfono en la casa y los murmullos de la anciana al contestar en el silencio nocturno. Después vio su sombra a través de la ventana y enseguida la luz. Va a llegar. Ha de haber llamado para avisar que viene en camino. Con la diestra sostiene la empuñadura de la escopeta; con la izquierda el cañón doble. El coraje hace vibrar sus entresijos; azuzado por los recuerdos, se le ha ido acumulando como agua en una represa y está a punto de desbordarlo. Ser o no ser. Aquí me tienes, viejo, dispuesto a cumplir tu encargo y, de paso, a librar al mundo de esa pinche alimaña. La imagen de Ángel sonriéndole con rencorosa burla se repite una y otra vez en su mente. Cabrón, muy pronto la única que se ría va a ser tu calavera. Los dientes. A Bosco se le incrusta una punzada. Jacobo los reconoció. ¿Por qué? Y se proyectan en su memoria mordidas idénticas en el cuello de su hermano, en los hombros, en la espalda, con los incisivos medio abiertos y echados hacia delante, como dientes de roedor. Bosco se marea, la escopeta resbala de sus manos provocando agitación entre los moradores del baldío. Lo envuelve la náusea. A ese cabrón le gusta morder cuando coge, fueron las palabras de Jacobo. A mí ningún hijo de puta me pone los cuernos, dicen que dijo. Las piernas se niegan a sostenerlo. Cae de sentón en la yerba y el ruido de los insectos se intensifica.

Esta noche te mueres, Ángel. Ahora sí. Extiende la mano en busca del arma, mas el piar de la araña suena muy cerca y lo obliga a recogerla contra el cuerpo. También cerca se escucha un zumbido gordo, espeso, que mantiene atentas las pupilas de la gata a unos pasos de distancia. Una avispa. No, un avispón. Mejor quedarse quieto. Un segundo después el zumbido desciende en picada, se interna en la maleza donde se torna un breve papaloteo y vuelve a la altura sin darle tiempo a la gata de saltarle encima. Dibuja varios círculos en el aire y baja de nuevo al mismo sitio, sólo para enseguida volar lejos. Sin distinguir nada entre las sombras, Bosco lo imagina todo y comprende que ya no escuchará el piar de la tarántula. La visualiza bocarriba entre el zacate, las ocho patas peludas hacia el cielo, sin poder moverse en lo que le resta de vida, hasta que los diminutos huevos del avispón rompan y las larvas comiencen a devorarla. Carajo. Bosco alza la vista. La luna se ha inclinado sobre la silueta equina del cerro. El calor arrecia, trazándole líneas grasosas que van de las sienes a las comisuras de sus labios. Los latidos del corazón le retumban en el pecho. ¿Cómo poner fin a esta angustia? ¿A este vacío? Imagina de pronto que los pasos que se escuchan en la calle esta vez sí son los de Ángel, que doña Ruth ha salido a recibirlo y que él se incorpora rápido y, sin dar ocasión al encuentro entre madre e hijo, descarga el primer cartucho sobre el asesino de Jacobo, enseguida el otro sobre la anciana, y va tres cuadras arriba para quitar de sufrir a Nidia y luego corre a casa y da muerte a su madre para seguirla al otro mundo de inmediato volándose él mismo la cabeza. Sólo así. Matando a cada uno de los involucrados. ¿O hay otra manera? Tengo ganas de vomitar.

Los pasos en la calle pertenecen a un muchacho que procede del rumbo del cerro, un joven de unos quince años cuya sonrisa iluminada por un triángulo de luz expresa la felicidad de una vida sin complicaciones. Aguantando la náusea, Bosco lo ve pasar frente al baldío mientras silba un corrido de los Tigres. Al desaparecer el muchacho, él se inclina a un costado y en una serie de arcadas mudas vomita a chorros la tensión que lo consumía por dentro. Las lágrimas corren sin obstáculos por su rostro, se mezclan con el sudor, resbalan al suelo. El esfuerzo le inflama la garganta y los espasmos lo agotan, pero cuando termina de vaciarse y las siluetas detienen sus giros en torno suyo una calma profunda lo envuelve. Es como si el baldío, la casa de doña Ruth, la calle, la colonia entera se hubiera desmoronado en tanto vomitaba, dejándolo solo enmedio de la oscuridad, libre de compromisos, de culpa, de responsabilidades. A su alrededor la noche permanece idéntica a unos minutos antes, pero Bosco se siente distinto. Como si su inmovilidad de décadas hubiera cesado y él de nuevo estuviera inserto en el universo. La sensación es tan gozosa que por un instante desea que la gata se le arrime para repasarle el lomo con la palma de la mano en una caricia de empatía con otro ser vivo. Le chista dos veces, mas la silueta felina no aparece. Solo. Libre. Ésa es la manera. La única.

El murciélago traza nuevas espirales en lo alto, se acerca a la luz de un farol y se aleja de ella en un rejuego interminable. Mientras lo contempla, Bosco decide obedecer su impulso de largarse del solar, correr a la avenida y de ahí a la central de autobuses con el fin de subir al primer camión que salga de la ciudad. Da el primer paso y un dolor le punza la rodilla. Lo ignora y continúa. Al llegar a la banqueta nota que no trae el arma de su padre. Regresa junto al mezquite y encuentra a la gata entretenida olisqueando los huecos de los cañones. Quítate, fiera. Recoge la escopeta y camina con ella unida al cuerpo rumbo a la calle. Cuando sale del baldío se da cuenta de que la gata va tras él, ocultándose en actitud de acecho, saltando de un matorral a otro con gran agilidad a pesar del volumen de su vientre, sin perderlo de vista. Bosco le sigue el juego y una oleada de buen humor lo reconforta. Se finge presa en esa cacería, se pone en cuclillas para quedar al alcance del felino, pero al volver la vista advierte que la gata no lo mira a él, sino que vigila con el cuerpo encogido y la pelambre erizada el fondo de la calle. Unos pasos retumban en el silencio. Son tacones de mujer. Ruidosos. Llevan demasiado peso encima.

La gata huye hacia el interior del baldío. No tiene caso que Bosco la siga: él se halla en la banqueta, bajo uno de los conos de luz, visible desde lejos. Los tacones continúan acercándose con un repiqueteo irregular, como si quien los usa se tambaleara de un lado a otro. Es Ángel. No hay duda. Tenías razón, mamá. Bosco se pone poco a poco de pie sin apartar el arma de su costado, ocultándola con el cuerpo, mientras escruta la calle allá donde se oyen los taconazos. Aún no ve a nadie, pero los movimientos dentro de la casa, las luces que se prenden en la cocina y en el cuarto que él conoce tan bien, lo confirman en la certeza de que su espera ha concluido. Camina en sentido contrario, sin prisa. Sabe que en cuestión de segundos se cruzará con el asesino de Jacobo. Escucha el tropezón de uno de los tacones y enseguida cómo el otro se afianza en el pavimento con el fin de conservar el equilibrio. Viene borracho, seguro. Fue a celebrar su libertad antes de ver a su madre. Otros dos taconeos inciertos y la figura de un hombre corpulento, avejentado, con ropa de mujer, penetra un ámbito de luz, da un paso más y se abraza del poste. No es él. Ése no puede ser él. Qué jodido está. Se lo acabaron en prisión. En cuanto alcanza el cono de luz de cuyo centro Ángel se sostiene para no venirse abajo, Bosco distingue la tela del vestido rasgada, costras de sangre que oscurecen las facciones del otro y se confunden con el colorete de los labios, con las plastas de maquillaje en los ojos hundidos. Lo madrearon. Lo reconocieron y lo madrearon. Si no, hubiera llegado antes. En algún sitio de su cuerpo la ira comienza a prender mientras se agitan en su mente los recuerdos recuperados, los temores, las exigencias de sus padres, los remordimientos y el deseo de una vida distinta. Bosco advierte la presión de la culata en el sobaco, el peso del arma en la diestra, y la levanta dirigiéndola al travesti. Su dedo índice busca el gatillo que parece haberse desvanecido en el momento crucial. Lo encuentra por fin y, con una debilidad súbita, los músculos de su mano se niegan a oprimirlo. Carajo. Va a intentar el disparo otra vez cuando se da cuenta de que Ángel lo observa desde hace unos momentos. Más que de miedo, su expresión es de sorpresa, como si nunca hubiera imaginado a Bosco con una escopeta en las manos. Las miradas de ambos se cruzan. La de Ángel, turbia, denota hastío, indiferencia. Resignación ante la muerte, tal vez. Bosco sonríe. Busca en su cuerpo la sensación de ira de un instante atrás, pero comprende que el fuego se ha extinguido en su interior por falta de combustible. Ante la expresión asombrada de Ángel, donde él lee una súplica muda, baja el arma y sigue su camino.

En tanto avanza, escucha detrás el tableteo de los tacones femeninos y los imagina a punto de quebrarse. Ángel se aleja vivo, y con él la tragedia, el pozo fuera del tiempo, el vacío. Luego oye el ruido de una puerta, seguido de un llanto senil que bien puede ser de dolor o de alegría. Más taconeos. Un portazo. Bosco se detiene, respira profundo y reemprende el paso. Cuando mira a la distancia por última vez el baldío, cerca del farol donde aletea un solitario murciélago, la silueta de la gata preñada le brinda un maullido a manera de despedida.

El laberinto

◆

La sordera le impidió darse cuenta de cuándo habían comenzado a seguirlo. Pudo haber sido después de sortear las piedras bola del arroyo seco, enmedio de los dos puentes, donde según afirman las vecinas los malvivientes acechan a caminantes despistados. O al desatarse la ventisca que alzó hasta la mitad del cielo esa nube de polvo, hojas secas y basura, obligándolo a toser igual que un tísico. O quizá cuando las primeras oleadas del chubasco opusieron entre su caminar y las luces urbanas un muro tan denso que estuvo tentado a quedarse inmóvil, a punto de ser devorado por el suelo movedizo.

Pero ahora que el chapoteo de la tormenta logra abrirse paso a través de sus tímpanos, Adrián Cano adivina tras de sí un fragor de persecución: pisadas y murmullos que se abren en abanico con el fin de rodearlo. Se detiene, intentando escudriñar el entorno. Ha perdido el rumbo. Las lomas y los cerros se desvanecieron entre el agua y la oscuridad. Las luces de los edificios del centro, que al iniciar su carrera se vislumbraban nítidas frente a él, apenas se perciben a la izquierda. Se ha alejado. En su pecho los jadeos se aceleran en cuanto vuelve a escuchar los rumores que vienen devorándole el rastro.

—Me quieren cortar la huida —sus palabras se ahogan en un tamborileo acuático.

Da media vuelta, pero sólo encuentra manchas largas, ondulantes, que bien pueden ser arbustos vencidos por la lluvia. Se le eriza la piel con el canto ronco del viento. A lo lejos, una jauría se enfurece con la noche. Aguza la vista: más manchas y, tras ellas, un apretado velo que apenas pierde densidad con los parpadeantes brillos de una colonia cercana.

—No es nadie. Nomás los nervios.

Los goterones restallan en su rostro, la humedad y el frío se le clavan hasta los huesos, sus pies se han hinchado y tiene la sensación de que ya no caben en esos zapatos de cuero entumecido. Con la mano izquierda aparta el agua de sus párpados mientras piensa que si lo quisieran agarrar lo habrían hecho antes, cuando sus oídos continuaban negados y, envuelto en un silbido permanente, corría por el monte tropezando y levantándose con dificultad. Ahora puede oír y esperaría atento, listo el machete en la diestra para repeler cualquier ataque.

—Los hice pedazos —murmura al reanudar la marcha.

Los bufidos de su respiración lo confunden. Detecta a su espalda un gorgoteo distinto al de las gotas, y de un salto gira. Con el corazón engarruñado divide la nada de un machetazo. Nadie. Sólo las mismas manchas negras, el siseo del aire entre los arbustos y el golpeteo del chubasco. Adrián barre el entorno con la vista y se pregunta cuánto lleva caminando.

—Fue después de medianoche... —lanza otro machetazo al aire, esta vez sin fuerza, y con el impulso el canto de la hoja golpea su pantorrilla—. Traidores. Cómo me hubiera gustado oírlos suplicarme perdón a gritos...

Nunca había sentido cómo se quiebra la voluntad por dentro, hasta que la certeza de la traición se precipitó sobre él, arrollándolo, arrebatándole a un tiempo orgullo y hombría para dejarlo desnudo, cubierto apenas por los jirones de la ira. Fue entonces cuando un chirrido semejante al del silbato de un tren bloqueó sus tímpanos: igual que si el vacío se abriera enmedio de la cantina con el fin de cobijarlo, de sustraerlo de las carcajadas que siguieron a los comentarios de Urano:

—No, pos si hablamos de puterías no tenemos para cuándo, Adrián.

Los demás bebedores habían dejado sus parloteos minutos antes y escuchaban con atención. Miraban a Adrián con un gesto de curiosidad cuajado de burla; enseguida volteaban hacia Urano como si no pudieran creer que se atreviera a decir lo que todos sabían. Incluso el cantinero había suspendido su ir y venir a través de la penumbra y permanecía cerca de la mesa, concentrado en el sarcasmo con que Urano continuó:

—Podemos empezar con tu vieja, que se anda cogiendo con el Ociel.

Adrián azotó la base de la botella de mezcal sobre la mesa. Una nube roja cubrió su campo de visión por unos instantes. A pesar de que mantenía los dientes apretados, sus mandíbulas no cesaban de trepidar. Sabía que los machos de la colonia le envidiaban la juventud de Victoria, su cuerpo flexible, su risa fácil y sus faldas a medio muslo. Sabía también que no le perdonaban que hubiera sido el primero en levantar dos cuartos de ladrillo y un corral para la crianza de animales, ni que tuviera un trabajo estable y bien pagado en una de las fábricas del norte de la ciudad. Se trataba de pura envidia. Y ahí estaba Urano, frente a él, sereno, rumiando la más peligrosa de las calumnias sin que ninguno de los otros se atreviera a desmentirlo. Adrián le lanzó una mirada de odio y apretó la botella entre los dedos.

–No. Tampoco me eches esos ojos, ni te me vayas a alebrestar a mí. No estoy inventando nada. Aquí todos lo saben. ¿O no? No se hagan pendejos...

Una corriente de inquietud se desparramó por entre las mesas, la barra, los rincones oscuros de la cantina. Adrián giró la vista para observar a los hombres en torno suyo como suplicando una palabra, un gesto que quisiera decir no es cierto, compadre, ya, Urano, déjate de mamadas y dile que nomás te lo estás carneando, que es guasa. Mas en esos rostros ebrios, deformados por ángulos siniestros a causa de la luz de los quinqués, encontró sólo sonrisas de satisfacción, de lástima. El dolor que le hinchaba la piel hasta casi reventársela le impidió responderle a Urano como debía. Cuando pudo ponerse de pie con la botella en la mano, lo único que alcanzó a comprender fueron las palabras finales:

–Es más, orita mismo han de estar en tu casa, o en el corral, revolcándose encima de la pastura, dándole gusto al cuerpo. ¿A poco creías que cuando el Ociel se metía por atrás iba a ordeñar la vaca?

Lleno de ira, aventó la botella a la cara de Urano, pero ya no se dio cuenta de lo demás. Fue como si su propio cráneo reventara igual que un cristal bajo presión: un estruendo agudo se instaló dentro de sus tímpanos, monótono, interminable, hasta nulificar todos los sonidos. El mezcal levantaba flamas en su sangre y salió cayéndose de la cantina entre los rostros torcidos por el asombro y la risa de quienes hacían un festejo de su desgracia.

Ni una luz alumbraba las calles de la colonia. No había luna. Sólo dentro de algún tejabán parpadeaba el resplandor débil de una vela a punto de extinguirse a causa del viento. Ciego y sordo, Adrián enfiló sus pasos tambaleantes al corazón de la oscuridad, hacia donde el instinto le indicaba que estaba su casa.

—Ahora sí son pasos —dice entre dientes.

Está seguro. La tormenta decae, aunque el agua aún agita las ramas de los árboles y de tanto en tanto reúne la fuerza suficiente para doblar algún tronco. El viento ha perdido ímpetu. Él voltea atrás con disimulo, sin dejar de andar, y una sombra encorvada atraviesa un claro para luego perderse en las tinieblas.

Adrián se detiene y permanece unos segundos en guardia. Entrecierra los párpados, forzando la vista a penetrar el amontonamiento de manchas negras a su alrededor. A unos metros, algo parecido a la figura de un hombre se yergue como si lo observara. Adrián siente que su cuello se contrae, impidiendo al oxígeno llegar a los pulmones. Amenazante, aprieta el machete con la mano y lo alza al tiempo que da un paso atrás. La sombra no se mueve. Cree distinguir en ella un brazo que lo señala, y antes de salir corriendo destapa su garganta con gritos:

—¡Nomás defendí mi hombría! ¡Ella era mi mujer!

Como si todas las siluetas se desplazaran a su ritmo, por más fuerza que imprime a sus piernas no logra conseguir distancia. Los zapatos se adhieren al lodo, se hunden en los charcos y emiten un chacualeo que pronto encuentra eco tras él. Al frente la cerrazón se torna más negra, a pesar de que a lo lejos se adivinan débiles collares de luces en alguna colonia.

Cuando la fatiga lo obliga a suspender la carrera, se acallan los pasos y rumores a su espalda. Adrián se desploma en un charco y suelta el machete. La boca arenosa, la cabeza adolorida, las piernas acosadas por temblores, el pecho a punto de reventar. Por unos instantes se olvida de ruidos y sombras, aturdido por el recuerdo de las muecas de burla que no dejan de danzar ante sus ojos.

Los comentarios a media voz lo inquietaban desde hacía tiempo, pero su orgullo y el cariño que sentía por Victoria no lo dejaban espinarse demasiado con las dudas. En las calles, las viejas se hablaban al oído, lo miraban, sonreían y Adrián se hacía el loco. Los hombres, por el contrario, bajaban los ojos al cruzarse en su camino. Además,

Ociel era su camarada, su compañero de lucha, aunque los años lo hubieran convertido en un cabrón sin escrúpulos. Ambos habían sido de los primeros en invadir los predios donde fundarían la colonia. Espalda con espalda, armados tan sólo con palos y piedras, mantuvieron a raya las hordas de granaderos que envió el gobierno con la intención de desalojarlos. Tras la victoria final, junto con el líder, los dos se dieron a la tarea de trazar las calles, delimitar los lotes, establecer a los colonos. ¿Cómo hacer caso de habladurías después de tanto pasado en común?

Sin embargo, desde que le habían dado el puesto de policía, Ociel gastaba su tiempo en aquellas calles sin pavimentar arrastrando su fama de mujeriego, sus músculos uniformados, su bigotito a la Pedro Infante, sus miradas llenas de soberbia. Como aún no les instalaban la electricidad, al caer las noches se metía en los tejabanes donde las mujeres aguardaban el regreso del marido, siempre con el pretexto de revisar que las cosas estuvieran en orden. Y durante el día no era raro hallarlo junto a los lavaderos de cemento que habían construido entre todos los vecinos, asomado a los escotes de las señoras más jóvenes, entre ellas Victoria.

—¿Qué tiene que andar ese güey en los lavaderos?

—Pos yo no sé —respondía Victoria con las mejillas rojas y los ojos brillantes—. Las otras viejas que le dan entrada...

Según los decires, muchos de los hombres del rumbo cargaban cuernos gracias a él. Igual que Adrián, algunos no creían en chismes y se limitaban a regañar o amenazar a sus mujeres. Otros apechugaban por puro miedo: además de policía, Ociel era el favorito indiscutible del líder de colonos. Con inventar cualquier acusación, podía quitarle el terreno a quien quisiera.

—No lo mires. ¿Qué le ves?

—Nada.

El distanciamiento entre los antiguos camaradas se había iniciado cuando Adrián trajo a vivir con él a esa adolescente que interrumpió la secundaria para seguirlo a las orillas de la ciudad. Desde que la vio por vez primera, Ociel no pudo evitar el deseo. Comparada con su mujer, Victoria era casi una niña, con una belleza fresca que dejaría a cualquiera sin sueño. A partir de entonces, alejándose de sus antiguas amistades, el policía se arrimó al líder y los privilegios no se hicieron esperar: en tanto Adrián levantaba, ladrillo a ladrillo, una casa para Victoria, una cuadrilla de aspirantes a colonos construía para Ociel otra, dos veces más grande; mientras Adrián gastaba hasta el último peso ahorrado en armar un corral para animales, Ociel se enriquecía cobrando cuotas de "protección" a cada uno de los vecinos. Muy pronto la posición encumbrada de Ociel fue el mayor obstáculo para la amistad entre ambos.

—Entonces, ¿por qué te pones nerviosa?

—No me pongo nerviosa. ¿No crees que exageras, Adrián?

No, no exageraba. Era evidente: su mujer miraba al otro con demasiado interés. Si se lo encontraban en la calle, Ociel ignoraba por completo a Adrián y saludaba a Victoria tocándose galante la visera de la cachucha. Ella contestaba con una breve inclinación de cabeza, seria, sin mover un músculo del rostro. Pero apenas pasaban unos minutos, su carácter se aligeraba para convertirse en una mujer más dicharachera que de costumbre, sonriente, coqueta, muy cariñosa con su señor, como si después de los años renaciera su gusto por él.

—¿Me estás viendo la cara de pendejo?

—No, chiquito, no digas eso. Mira, ven, acércate. Te voy a demostrar cuánto te quiero...

Cómo no se había dado cuenta al verla arreglarse tanto. Cómo no lo adivinó, si el tipo ese era de los que le gustaban a las viejas: recio, poderoso, fanfarrón, casi un héroe a los ojos femeninos. Tan diferente a él, que nunca gozó de suerte en la vida, ni al nacer, ni al crecer, mucho menos al elegir vieja. Y tenía que haber sido el hocicón de Urano quien viniera a dejárselo bien claro.

La lluvia se ha adelgazado en llovizna. El zumbido de un par de moscardones gira en espiral cerca de su cabeza y lo saca de sus pensamientos. Se aleja y enseguida vuelve. Uno de los insectos se le estrella en la frente y Adrián da un respingo. Hace el intento de huir, pero se detiene al echar en falta el machete. Tentalea el suelo con angustia mientras advierte una serie de movimientos en la oscuridad. Al mismo tiempo, un intenso olor a estiércol le llena las fosas nasales. Su mano topa con un pedrusco. Lo arroja con fuerza hacia donde adivina a sus perseguidores y escucha a distancia su caída en el lodo. El ruido desata nuevos desplazamientos, más evidentes, acompañados de sonidos guturales. Adrián se desgaja entre el impulso de correr y la necesidad de encontrar el machete, en cuya hoja imagina restos de la carne y de la sangre de sus víctimas. Al ver acercarse un amasijo de sombras que identifica con el garabato enrebozado de una mujer, ya no alcanza a contener la urgencia de las piernas.

En la carrera su respiración ronca se entremezcla con las carcajadas que vienen de muy atrás, semejantes a las que no escuchó en la cantina a causa del estrépito dentro de su cabeza. Idénticas a las que siempre oía al volver del trabajo, antes de entrar a tomarse unos mezcales. Risas que cesaban con su llegada y volvían a desatarse en el momento de su partida.

—Cabrones, se reían de mí.

Entra en un terreno pedregoso, donde una corriente rala que crepita en pequeños remolinos dificulta sus desplazamientos. El arroyo otra vez. A lo lejos distingue la mole negra de uno de los puentes. Ha vuelto a extraviar la ruta. Sólo en esos instantes, en tanto disminuye el ritmo de las zancadas, se da cuenta de que por meses fue la comidilla de la colonia. El cornudo. El hombre de la mujer que se estaba cogiendo Ociel. Se para en seco y, aun consciente de estar desarmado, encara a las manchas oscuras que lo acosan:

—¡Sí! ¡Yo me los chingué! —grita—. ¡Se lo merecían!

Tiene la certeza de que, a pesar de no haberlos escuchado, a pesar de que en su ira ciega no pudo ver ni sus rostros ni sus cuerpos, los alaridos de Ociel y Victoria abrieron grietas en los muros de la casa. Con una sonrisa separándole los labios, Adrián Cano reconoce que el terror de los traidores debió ser atroz al transitar del gusto a la agonía. Imagina la escena que no llegó a ver como si la estuviera viviendo de nuevo, pero esta vez contemplándola a plena luz: sangre hasta en los rincones más lejanos y los amantes arrastrándose mutilados, suplicando clemencia con el último aliento.

—Así debían morir.

Bajo el techo de lámina el corral parecía el fondo de un pozo profundo. Aun así, no dudó cuando sus ojos se detuvieron en un contorno definido: junto al muro de la casa una sombra compuesta se movía de pie con dificultad, sin ritmo, en un abrazo que no necesitaba iluminación para revelarse. Entonces el silbato del tren dentro de su cabeza sopló con mayor furia. No fue necesario buscar el quinqué; el vaivén era evidente, y Adrián supo que del otro lado del chillido que lo ensordecía había un escándalo de jadeos y gemidos de placer. Ellos no lo vieron, no lo escucharon, o nomás lo ignoraron. Rodeó la casa. Rasguñó el exterior de la pared hasta localizar su machete. Con él había desbrozado el terreno para levantarle casa a Victoria, recordó, y enseguida la ira se le recrudeció hasta borrarle de la mente cualquier pensamiento.

No sabe si dijo palabra antes de golpearlos, si hubo recriminaciones, insultos; o si se abalanzó hacia la sombra callado, intentando pasar desapercibido como lo había hecho en la vida. Ni siquiera de cerca logró verlos con claridad, mas en la piel percibió el calor húmedo de los cuerpos. Descargó el machetazo y la hoja quedó atrapada en uno de los espinazos, igual que si la hubiera hundido en el tronco de un árbol, mientras la doble silueta se retorcía con desesperación. Hizo un esfuerzo para desencajarla y esperó, tratando de escuchar el grito, los gritos, pero el silbido continuaba pegado a sus orejas. Otro golpe y una bocanada ardiente le bañó el rostro. Adrián la identificó con un grito de agonía: el soplo de la vida escapando por la garganta. Después arremetió con locura, machetazo tras machetazo, contra ese bulto oscuro que al fin se dividía en dos, y siguió hiriendo ahora cada una de las partes por separado, partiendo la carne bofa hasta que se convenció de que Ociel y Victoria ya no eran sino trozos irreconocibles esparcidos en el suelo.

Sudoroso, atestado de temblores, borracho de mezcal y miedo, salió de la casa. La noche se mantenía negra y el viento empujaba sobre la ciudad nubes cargadas de violencia. A lo lejos vio las figuras de varios hombres recortadas sobre el resplandor mustio de las velas de la cantina. Tal vez habían salido a enterarse de qué se trataban los gritos que él no escuchó. Pronto encontrarían la matazón. Entonces tuvo conciencia de que se había convertido en asesino y a grandes trancos enfiló hacia los campos que circundan la colonia, buscando una ruta que desembocara en la ciudad.

—Se lo buscaron —insiste, como si quisiera convencerse, con palabras que se ahogan en el estertor de un trueno.

La tormenta se niega a replegarse. En un momento disminuye, y al siguiente recupera su furor para dejar caer sobre Adrián las andanadas que ocultan las luces del alumbrado público. El cansancio, el alcohol ya diluido en las venas y el peso repentino de su crimen lo han debilitado. Con mirada temerosa escudriña la lobreguez en torno suyo. Nada parece moverse. Los únicos ruidos son los que caen del cielo. No obstante, Adrián presiente que la tenacidad de sus perseguidores los hace mantenerse ahí, al acecho, dispuestos a echarle mano en un momento de descuido. Ignora cuándo perdió la dirección de la ciudad para extraviarse en ese laberinto negro que no lo lleva a ningún lado. Camina despacio en línea recta, sin saber a dónde, y un bloque de hielo que se le agranda en el estómago lo vuelve por primera vez consciente del dolor de no volver a ver a su hembra.

—Victoria... —le dice a la noche, a las ráfagas de la nueva borrasca que redoblan en su cráneo—. ¿Por qué?

Si hubieran criado hijos habría sido distinto, piensa. Si tuviera un trabajo menos exigente y no llegara cada noche directo a la cantina a enmezcalarse hasta el delirio y la alucinación... Ella no habría buscado calor en el cuerpo de Ociel, porque Adrián le hubiera cumplido como hombre, igual que antes. La quería. Sí, la quería. Victoria había sido lo más importante en su vida, y ahora sólo es un montón de carne en el suelo de su casa.

Un trueno estalla muy cerca, pero su resplandor resulta insuficiente para penetrar el ceñido tejido del agua. Autómata, Adrián da un paso tras otro rumbo adonde antes del nuevo chaparrón creyó notar una luz. No le importan ya sus perseguidores. Ni el castigo a que será sometido. Lo único que desea es finalizar esa caminata ciega que se ha llevado sus fuerzas. Arribar a algún sitio, aunque sea a la cárcel, y tumbarse a dormir hasta que el corazón detenga sus latidos.

—Ojalá me mataran —dice, o tan sólo lo piensa mientras mira un brillo mortecino detrás del agua—. Sería lo mejor.

Conforme el chubasco se desvanece, la certeza de la soledad se apodera de él. El sonido de los pasos a su espalda le proyecta entonces en la memoria la imagen de su mujer feliz al contemplar la casa de ladrillo recién construida. El gorgoteo de la lluvia es para Adrián la risa alegre de Victoria, las canciones que entonaba mientras barría, mientras preparaba el desayuno. De pronto la necesidad de echarse en brazos de su hembra es lo único que ocupa su pensamiento. Y al repetirse está muerta, Victoria está muerta porque yo la maté, las cosquillas de la angustia le escuecen por dentro, de arriba a abajo, hasta obligarlo a caer de rodillas, derrotado.

—¡Agárrenme ya! —suplica a sus perseguidores—. ¡Aquí estoy! ¡No voy a defenderme!

Esta vez ningún ruido acompaña el repiquetear de las últimas gotas de llovizna. Adrián se incorpora y camina adonde lo llama la luz de unos faroles agónicos pero visibles al fin. Intuye que el amanecer está próximo, lo mismo que las zonas habitadas. En el oriente, las nubes más bajas han empezado a difuminarse en un color violáceo y las sombras que lo rodean preludian formas definidas. Avanza dando traspiés en tanto la imagen de los cuerpos descuartizados de Victoria y del policía se estremece en su cerebro. Amaba a su mujer y no deseaba matarla, ahora lo sabe. Aunque si no lo hubiera hecho las carcajadas burlonas de los borrachos de la colonia lo perseguirían por siempre.

—Ellos me obligaron. Yo no quería.

De pronto escucha un tropezón cerca y se vuelve con un sobresalto. Aprieta los puños y aguza los oídos. A primera vista la noche luce inmóvil. Sin embargo la luz del amanecer ha logrado traspasar las primeras capas de nubes, permitiéndole afinar la visión. Detrás de unos magueyes hay movimiento. Un escalofrío le recorre la espalda y empieza a dominarlo la idea de echarse a correr de nuevo, cuando alcanza a reconocer a un perro que husmea entre unas despanzurradas bolsas de basura. Entonces un ataque de risa histérica lo hace engarruñarse sobre la yerba. Un temblor lo sacude y Adrián se deshace en sollozos.

Se queda tendido sobre el suelo mojado varios minutos. En cuanto sofoca el acceso de llanto se pone de pie. Limpia sus lágrimas con la camisa y la descubre llena de sangre. Se la quita rápido, la arroja bajo un nopal y patea sobre ella un montón de lodo. El pantalón es de color oscuro y en él las manchas se pierden. Después revisa su cuerpo sólo para comprobar que la lluvia ha lavado la sangre de la piel.

Varios rejones de luz perforan el nuberío, iluminando el terreno con tonos ocres, y Adrián se yergue para mirar hasta donde la vista le alcanza. Nadie lo sigue. Se encuentra solo, enmedio de aquel monte que colinda con la urbe. Quiere reír otra vez, pero un dolor agudo en el estómago no lo deja. Árboles, arbustos, magueyes, nopaleras. Nada más. Y al frente, autos abandonados vueltos chatarra, un puerco buscando qué comer, el basurero.

Ha caminado en círculos. Lo comprende al trepar a un montón de escombro desde donde puede ver el paisaje de su colonia sumergida en la niebla. Ahí, tras los primeros tejabanes, se halla la cantina que abandonó enloquecido hace unas horas. Tras doblar la próxima calle está su casa, una de las pocas construidas con ladrillo. Y en el corral, encima del piso de tierra, yacen los despojos de Ociel y Victoria. Más allá, las luces de la ciudad comienzan a apagarse. A esta hora quizás algunos camiones circulan por las avenidas y los obreros y las empleadas domésticas ya buscan las esquinas.

Duda unos instantes entre volver al monte, donde la noche perdura, o seguir su camino. No tiene ánimos para huir de nuevo. Decide avanzar, dispuesto a entregarse al líder, a los agentes compañeros de su víctima. La cárcel o la muerte, cualquiera de las dos cosas sería mejor que andar por el mundo sin Victoria. En los linderos de la colonia unos perros sin dueño salen a recibirlo, le olisquean los pies y mueven la cola. Él los aparta con un ademán. Aunque la luz poco a poco gana terreno en el cielo, la penumbra no se ha retirado por entero de las calles. Las casas, aún oscuras, no denotan ruido ni movimiento, pero un rumor de pasos y voces viene de la lejanía.

Adrián siente de nuevo algo a su espalda, mas no se vuelve. Las moscas advierten su presencia y lo rodean con tenacidad, como si hubieran detectado en él un aroma a carne fresca, a sangre recién derramada. Al doblar en el recodo, de súbito se ve rodeado de siluetas: hombres, mujeres y niños que guardan silencio en cuanto lo identifican, y cuchichean entre ellos sin dejar de mirarlo. Una mujer llorosa se adelanta a los demás y, retorciéndose los dedos de una mano con los de la otra, le dice con tono de congoja:

—Ay, don Adrián, algo terrible pasó en su casa.

Pasa de largo sin mirarla. Atraviesa el gentío que se abre a su caminar para toparse con varios hombres de cachucha y vestidos de azul en cuyos rostros se refleja la desconfianza. Él espera que de un momento a otro lo rodeen para aprehenderlo, y se sorprende cuando también le abren paso. "Anda borracho", escucha que murmura uno de ellos y su desconcierto aumenta con la conmiseración que envuelve el comentario. Nadie lo detiene, nadie le impide llegar hasta su casa, y Adrián siente que está a punto de volverse loco al encontrar las trancas del corral atestadas de mirones y un grupo vociferante que se amontona en un extremo. Un par de policías manotea e insulta a un hombre tumbado en el suelo, sumergido a medias entre el lodo y el estiércol de los puercos.

—¡Ahí está don Adrián! —grita una mujer gorda.

Todos se vuelven hacia él y lo miran con extrañeza, igual que si estuvieran ante un desconocido. Adrián contiene el temblor en las piernas y da pasos cortos hasta la puerta. Un grupo de mujeres va y viene sin cesar por la habitación y una de ellas se acerca con gesto compungido repitiendo en un murmullo "Ay, don Adrián; ay, don Adrián". Entonces el grupo de mujeres se abre y, sentada en una silla, pálida y con las mejillas manchadas como si hubiera llorado por horas, Victoria lo contempla con la mirada perdida. En el pecho de Adrián se revuelven el desconcierto y el alivio con una sensación lejana de rabia, celos y hombría herida. No desea otra cosa que apretar a su mujer contra su pecho y agradecerle que siga viva, pero no se dirige hacia ella: la duda y el remordimiento lo arrastran hacia el corral.

Antes de salir ve cómo dos agentes levantan al hombre que estaba en el lodo. Lleva las manos amarradas a la espalda. Otro uniformado se acerca y le levanta la cara jalándolo de los cabellos. Entonces Adrián reconoce a Urano quien, con miedo en los ojos, no deja de repetir "Yo no fui. Yo no fui". El que parece llevar el mando y se quita la cachucha para mirar mejor al detenido es Ociel. Envuelve a Adrián en una mirada despectiva, sonríe, y su bigotito a la Pedro Infante se curva con cierta amargura. Victoria grita desde adentro unas palabras que no se entienden. Uno de los mirones le dice en voz baja:

—Mira lo que hizo el cabrón para desquitarse del botellazo que le acomodaste anoche...

En el corral lo recibe un fuerte olor a carnicería. Un charco sangriento cubre el suelo, las moscas zumban de un lado a otro, hay pedazos de carne y cuero sobre el muro, entre la pastura, colgando de los troncos de la cerca. La imagen de su vaca y el becerro destrozados gira en su cabeza hasta borrar por completo las visiones que lo atormentaron durante la noche. El miedo, la angustia, los remordimientos se esfuman de su cuerpo de golpe. Siente que ya no es capaz de contener el vómito, cuando escucha a su lado la voz burlona de Ociel:

—Deveras que no puedo entender la envidia de la gente. Mira lo que te hizo este ojete. Ora vas a tener que trabajar doble turno si quieres volver a presumir de ganadero.

Cuerpo presente

◆

Nunca más su risa ronca de fumadora empedernida. Ni el sonido de su voz respirada hacia adentro. Ni el destello de sus dientes. Ni sus ojos limpios… Se atropellan las palabras, fundiéndose en ecos dolorosos sin que se advierta en nuestros labios siquiera un leve tremor. Los zapatos levantan el polvo adherido al pavimento en estas calles tristes y silenciosas. Ladran los perros, como lo hicieron la noche entera. Los pájaros cantan, callan, vuelven a cantar y vuelan de árbol en árbol en la plaza. Las nubes, mojadas aun antes de llover, ocultan un sol que poco a poco se tiñe de negro. Nunca más su olor de toronja espolvoreada con sal, ni el tosco tamborileo de su pecho en el instante preciso. La temperatura de su piel, exacta para el consuelo. Su boca jugosa. Ya jamás su aliento: ese vaho de tabaco y cebolla cruda apenas disimulado con chicles de menta. Sus restos esperan en la parroquia el traslado a la tumba donde se pudrirán dentro de una caja de lujo que no estaba destinada a ella, pues en cuanto el dueño de los Funerales Malo supo de su muerte ordenó aprontar el ataúd que había traído de Monterrey previniendo el deceso de doña Lilia, la madre del presidente municipal, que nomás no acaba de estirar la pata, dijo Pascual con un carraspeo. Él pasó por la funeraria cuando los empleados preparaban el cuerpo, y no pudo reconocerla. Con esa falda negra y un suéter de monja parece la esposa de cualquiera de ustedes, hasta gorda se mira, dijo. Además le pusieron una pañoleta para taparle los pelos rojos, ¿a quién se le ocurriría semejante barrabasada? Pascual se santiguó tres veces, murmuró una plegaria y preguntó quién era el cadáver. Al oír el nombre, corrió a divulgarlo en el mercado, en la cantina y en el casino, y pronto muchos hombres dejaron sus quehaceres para raspar las suelas camino de la iglesia, envejecidos de golpe como si en las últimas horas hubieran vivido treinta o cuarenta años, arrastrando los pies al sentir cómo el luto es un gusano que poco a poco roe las alegrías. Nunca más su quejido experto, oportuno siempre. Ni sus murmullos amorosos cerca del oído, ni las cosquillas de su lengua de mariposa. No. Ya no sus muslos estrangulando la cintura. Sus movimientos de coralillo. Ni su abrazo trunco. Sólo el dolor y la soledad. Nunca más Macorina.

Estaba buena todavía ayer noche, dijo Pascual Landeros y entrecerró sus ojillos que parecen repujados en cuero duro. Quién iba a decir que acabaría en la caja de la mamá de Silvano, ¿no? Tras noticiar suceso y pormenores a cuanta oreja se topó en la calle, vino al casino. Traía el semblante pálido. Los ojos rojos, como si la tristeza por el fallecimiento de la Tunca, en mezcla con el orgullo de ser vocero de una nueva tan sonora, le provocara ardor en torno a las pupilas. Esperó sin chistar que Cirilo le ahorcara la de seises a Ruperto, pero cuando Demetrio terminaba de escribir la puntuación ya no pudo aguantarse y soltó en seco con voz mellada: Se murió la Macorina.

Silencio largo. Landeros saboreaba el impacto de su noticia. Nos veía con dolor, curiosidad, satisfacción y lástima. Muchas veces nos había escuchado, ahí, alrededor de esa mesa, comentar nuestro cariño hacia la Tunca, la mujer más querida de Hualahuises. Ahora, en un intento por asimilar el golpe, bebíamos grandes tragos de cerveza para diluir la amargura, fumábamos jalando hondo el humo por ver si se rellenaba ese vacío repentino debajo de las costillas. Y mientras escondíamos la mirada vidriosa en las vigas del techo, Pascual se arrancó con una de sus peroratas de costumbre. Entre el ronroneo del aire acondicionado, nosotros lo oíamos sin escuchar, cada quien encerrado en su pensamiento, igual que todas las tardes, cuando más allá del dominó las calles sólo ofrecen sol, polvo y hastío y Pascual se apersona en el casino para contarnos los chismes nuevos. Nomás atravesaban nuestros tímpanos palabras aisladas, frases incompletas, como el cuerpo de Macorina. Anoche fue. Sí, paro cardiaco. Por su vida disoluta, pues. La hallaron las güilas este mediodía. Los perros no dejaron de ladrar. La agarró dormida la muerte. Acababa de estar con el Arcadio. Y el nudo en la garganta engordaba y el vacío del pecho se corría al estómago y se volvía más ancho a pesar de la cerveza y los cigarros y las fichas revueltas sobre la mesa en tanto la voz pastosa y carcomida

48

de Landeros insistía en desgranar detalles sin importancia. Así ha sido siempre Pascual. Con la boca llena de saliva y palabras, se traga ambas al mismo tiempo. Aunque se dedica a la talabartería y diseca piezas de caza, tiene vocación de reportero. Lástima que aquí no haya periódico. Se le va la existencia en correr del mercado a la peluquería, de la cantina al casino, con el fin de enterarse de hechos y asegunes para diseminarlos con sus añadidos entre la gente. Pero a la hora de la hora sus informes resultan parciales porque no puede conservar mucho rato las ideas en la cabeza y, si llega a recordarlas bien, se le borran las palabras. Entonces se ríe con una risa atrabancada, tosijosa, y mira los ojos de su interlocutor como si buscara en ellos lo que le falta para continuar hablando. Sin embargo ahora no reía ni nos miraba. Igual que los demás, parecía concentrado en la mula de seises, bocarriba sobre la mesa, que nos clavaba sus doce ojos semejantes a pozos sin fondo y nos sonreía con su sonrisa de calavera mientras recordábamos cómo, muchos años atrás, también fue Pascual quien vino a anunciarnos la llegada de una muchacha nueva a la casa de doña Pelos.

Está buenísima, pronunció a trompicones luego de voltear adonde el vitral de la puerta hacía guiños con el sol de la tarde que recalentaba el área de juegos del casino. Siempre le han llamado la atención los rojos, violetas y verdes de la escena mitológica que entre emplomados grises decora la entrada. Lo intriga el pastor que espía la desnudez de la diosa Diana; también los cambios de tono en los cristales, según la diagonal de la luz, y por más que se esfuerza nunca ha conseguido descifrar el prodigio. ¿O verá ahí algo que nosotros no? Buenísima, repitió y los demás nos burlamos sin interrumpir la partida: Landeros encontraba deseables a todas las mujeres menores de cuarenta que tuvieran sus partes en el lugar preciso y estuvieran completas y, aunque nosotros también las veíamos guapas, fingíamos indiferencia. ¿Como la Chole?, preguntó Cirilo aludiendo a una criada de casa de Berna que jugaba a coquetearnos. Pascual era unos años mayor y se decía experto en pirujas, cosa que nosotros entonces aún no dudábamos. Se quitó el sudor de la frente con la palma de la mano y maldijo el calor. Nhombre, Chole no es nadie al lado de ésta. Ruperto y Demetrio se interesaron. ¿Es la que iba a llegar de Tampico? Ésa mera, y ya sabes cómo son las costeñas. Ésta es delgadita, pero con unas caderas que ya quisieras. Y menor de edad, seguro. Yo le echo unos dieciséis. Rondábamos la frontera de la adolescencia, pronto iríamos a Monterrey, de donde traeríamos un título universitario a manera de trámite para casarnos con las novias de infancia y heredar las propiedades y la posición de nuestros padres, los importantes del pueblo. Éramos jóvenes con el cuerpo consumido en ansias y las carteras repletas de dinero. Silvano lo propuso apenas Pascual se retiró de la mesa con el fin de volver a estudiar el vitral. Pos no sé ustedes, pero yo sí caigo temprano anca doña Pelos. Este cabrón ya debe haber regado el chisme de la nueva y no quiero que se me adelanten. Pensativos, el silencio daba pie a que la tentación rondara nuestras mentes. De pronto Berna chasqueó la de seises en el centro de la mesa y sin alzar la vista preguntó: ¿A qué hora vas a ir?

No éramos mochos, ni puritanos. No a esa edad. Quizá si a alguno de nosotros se le hubiera ocurrido ir con doña Pelos dos o tres años antes, los demás lo habríamos visto con cara de horror porque la simple mención de ese lugar constituía una falta de respeto a las novias, porque ahí acechaban la gonorrea, los chatos y la sífilis, porque sólo pensarlo nos convertía en candidatos al infierno. En cambio, al filo de los dieciocho, con las ganas a punto de desbordarse, ni el pecado ni las enfermedades ni las novias representaban freno suficiente. No obstante, al llegar a las puertas del burdel nos miramos unos a otros incómodos, como si su cercanía nos ensuciara, como si tuviéramos atorado en el gaznate algo inconfesable, vergonzoso, excitante. El local tenía un nombre que nadie, salvo los fuereños, usaba: El Marabú. De ser un galerón solitario y cacarizo durante el día, desde las primeras horas de la noche se transformaba en un sitio mágico del cual brotaban risas de muchachas, perfumes pegajosos, música bailable y barullo de fiesta. Las luces exteriores lo envolvían en un aura de misterio y el arco de su entrada metálica adquiría connotaciones de pasaje a la incertidumbre. Tras unos minutos afuera, nos armamos de valor y empujamos la puerta.

Adentro olía a creolina, y debajo de ese olor flotaban restos de un efluvio dulce. La sinfonola reposaba su silencio en un extremo. A esa hora no había nadie del pueblo, sólo dos desconocidos con traza de agentes viajeros recargados en la barra. En cuanto nos acomodamos alrededor de una mesa de lámina igual a las del casino, se arrimó una morena aindiada con el cabello amarillo y las raíces negras. Qué les sirvo, fue su pregunta. Nos miraba con suspicacia, como si calculara si teníamos edad para beber. Cervezas, dijo Silvano. Los demás reprimimos la risa nerviosa mientras repasábamos el sitio, maravillados de estar ahí. En eso comenzaron a aparecer más mujeres. Rubias oxigenadas, morenas, unas jóvenes y otras no, deambulaban cerca de la sinfonola, iban a la barra, regresaban, nos sonreían. Empieza el desfile, dijo Demetrio con un hilo de voz que se le trozó al llegar la cerveza. Bebimos y, sin ponernos de acuerdo, nos encajamos la botella entre las piernas para sentir un poco de frialdad junto a los huevos. Más relajados, hablamos de cualquier tontería en tanto los ojos se nos iban tras las mujeres. ¿Será ésa?, Ruperto señaló a una joven que acababa de bajar unas escaleras. No, no es. No tiene nalgas. Acuérdate de lo que dijo Pascual. Quién sabe, con los gustos de ese güey puede ser incluso aquélla, y Demetrio movió la nariz hacia una gorda de por lo menos sesenta años. Reímos. Después del primer golpe de alcohol nos brillaban las pupilas. Comenzábamos a sentirnos cómodos. Ordenamos la segunda ronda y Silvano pidió un tequila. Esta vez nos trajo el servicio una señora guapa de cabello hirsuto. Buenas, muchachos. Bienvenidos. Yo soy la abadesa de este convento, ¿cómo la ven? Me llamo Carlota, aunque seguro ustedes conocen mi apodo, ¿no? Doña Pelos, rio Cirilo y al darse cuenta de la descortesía su risa ascendió a carcajada. La doña también rio antes de preguntar si nomás queríamos trago o si íbamos a subir a la recámara. Al rato, señora, dijo Silvano, primero tenemos que tratar asuntos de negocios. ¿De qué negocios hablas, mhijo? No digas sandeces. Ustedes a lo que vienen es a embodegar el quiote. Si quisieran nomás trago hubieran ido a la cantina, ¿me equivoco, Silvanito? En vez de sorprenderse porque lo conocía, a Silvano lo turbó esa manera de hablar, burda y directa. Respiró con calma, asimilando las palabras de la mujer. Luego la miró de reojo y dijo: Tiene razón, a eso venimos, a embodegar el quiote, y yo quiero embodegárselo a la nueva. Tráigala, pues. La doña permaneció unos segundos en silencio, observándonos con el labio superior atorado en la resequedad de los dientes. No sonreía, más bien era una mueca irónica, como si en nuestros ojos viera la inocencia a punto de sucumbir. Se llevó la mano a la cara para atusarse un bigote imaginario. Mejor vénganse al reservado, dijo. No vaya a ser que alguien los reconozca y se me pongan nerviosos. Suban, ai les llevan los tragos. Allá arriba está la nueva, en el cuarto.

Se trataba de una estancia limpia, acondicionada con un par de sofás y sillones individuales en torno a una chaparra mesa de centro, lámparas de luz tenue en los rincones, un abanico batiendo el aire caliente desde el techo, semejante a la sala de cualquiera de nuestras casas. Lo diferente eran los cuadros en las paredes, desnudos femeninos en diversas poses, y el olor a jabón mezclado con perfume. La falsa rubia trajo las cervezas y el tequila de Silvano y luego apareció doña Pelos para preguntarnos si nos sentíamos a gusto. No podíamos hablar. Ante la inminente presencia de quien pondría fin a nuestra condición virgínea, los nervios nos habían secado la boca, convirtiendo la lengua en un pedazo de esponja. Silvano tartamudeó un sí, estamos bien, que pareció dejar satisfecha a la doña, pues cruzó la habitación con paso marcial y golpeó los nudillos en la puerta del fondo. Era la recámara. Con la vista fija en el picaporte, nos reacomodamos en los asientos. Entonces escuchamos el nombre que durante décadas repetiríamos en cuartos clandestinos y cantinas, en borracheras solitarias y explosiones de euforia a manera de conjuro contra el tedio, la náusea y la tristeza: Macorina, mhija, hay clientes esperándote en el reservado. Ándale, sal. Un murmullo se filtró a través de la puerta y la doña se volvió hacia nosotros. Ya viene. No se me vayan a desesperar. Se está arreglando. Yo bajo y les mando más bebida. ¿No quieren otras muchachas? No, respondió brusco Silvano. Nomás a ella. Los tacones de la dueña del burdel repiquetearon en los mosaicos de la escalera emparejándose con los latidos de nuestros corazones. El calor se tornaba acuoso, molesto. Sudábamos. Las botellas de cerveza estaban vacías desde hacía un rato y los cigarros se consumían en tres o cuatro fumadas. Cuando el silencio amenazaba con ahogarnos, Demetrio dijo: ¿Y quién va a entrar primero? La pregunta nos agarró desprevenidos. Hasta ese instante nos sentíamos a resguardo en la complicidad, mas entonces comprendimos que tendríamos que separarnos para quedar desnudos, expuestos y a solas con una mujer a quien ni habíamos visto. Demetrio, Berna y Cirilo cruzaron miradas. Silvano prendió un cigarro y expulsó el humo hacia el techo. Ruperto se encogió de hombros, como diciendo me da igual. ¿Y si entramos en bola?, preguntó Cirilo, pero nadie se tomó el trabajo de responderle. Fue mi idea, dijo Silvano, yo lo propuse y yo voy primero. Mejor lo dejamos a la suerte, intervino Berna. ¿Cómo? Sí, el primero al que ella le pregunte su nombre, ése gana. Silvano intentó protestar, aunque lo pensó mejor y guardó sus palabras. Cuando la morena güera subió con una nueva bandeja aún contemplábamos, mudos y con los dedos de las manos entrelazados, la puerta de la recámara.

Pascual Landeros no había mentido. Macorina era muy joven, delgada, y poseía unas nalgas combas que antes sólo habíamos imaginado en algunas mulatas del trópico. De rasgos agradables, cierta timidez agazapada en los pliegues del rostro le otorgaba un aire de inocencia extraño en casa de doña Pelos. Al abrir la puerta nos cortó la respiración y en aquel silencio pudimos escuchar incluso el roce de su ropa. La cubría un vestido ligero cuya falda se entallaba a la altura de la cadera para de ahí caer amplio hasta las rodillas. Sus piernas sin medias brillaban a la luz de las lámparas y sus sandalias dejaban al descubierto las uñas de los pies sin rastro de pintura. El cabello negro, recogido en una cola de caballo, acentuaba su sencillez. Carajo, dijo Silvano pensando en quién sabe qué cosa. Los ojos de Macorina, bajos, como avergonzados, recorrían nuestros zapatos y botas sin ir más allá. Entonces intuimos que cuando en realidad nos viera algo cambiaría para siempre dentro de nosotros: estaríamos sin remedio a su merced, nuestra vida giraría en torno suyo. Temblamos. En Berna y Silvano el estremecimiento fue notorio. Tras correrse un poco en el sofá, Demetrio palpó con la palma el hueco entre Cirilo y él y, sacando los sonidos del fondo del estómago, la invitó a tomar asiento. No tiene que ser ahí, intervino Silvano. Puedes sentarte donde mejor te acomode. La voz de quien había nacido para mandar resonaba firme de nuevo. Los demás nos quedamos inmóviles, no por la autoridad en las palabras de nuestro amigo, sino porque ella nos miró, y al hacerlo su rostro se fue iluminando con el fulgor de unos ojos enormes cuyas pestañas revoloteaban igual que alas de mariposa negra. Por fin nos veía, uno a uno, y en sus rasgos se reflejaba el dominio de la situación. La ruleta había comenzado a girar. Ella escogería al lado de quién iba a sentarse, luego preguntaría el nombre del elegido. Quietos, los pies bien plantados en el suelo, las manos sueltas sobre los asientos, la vimos dar dos pasos al frente, titubear un poco, y caminar hacia Silvano. Se montó en el descansabrazos del sillón y su vestido encogió para mostrarnos parte de esos muslos cubiertos de una pelusa transparente que en cosa de minutos nos rodearían la cintura. Macorina sonreía. Sus pupilas iban de la cara de Cirilo a la bragueta de Demetrio, y de ahí a las manos de Berna, como si calibrara el placer que obtendría de cada uno. La timidez y la inocencia se le habían huido del semblante dando paso a una lujuria sin disimulos. Ya no era la jovencita sencilla que abrió la puerta del cuarto, sino una verdadera puta, una profesional experta que anticipaba el gusto de dar gusto a sus clientes. Sin haber dicho ni una palabra, se inclinó para agarrar el tequila; vació el caballito de un trago y se relamió los labios. Sintiéndose el elegido, Silvano no pudo contenerse y le rodeó la cintura con el brazo. Mas cuando la atraía hacia sí, Macorina fijó sus grandes ojos en Berna. ¿Y tú?, preguntó recorriéndolo con la vista de arriba a abajo, ¿cómo te llamas, grandote?

Muchas veces hicimos el recuento de aquella noche. Primero en las semanas que nos faltaban para irnos a estudiar, al encontrarnos en algún café o bar de Monterrey, o durante las vacaciones en el pueblo. Después, tras volver título en mano a inaugurar nuestra vida adulta, en las despedidas de soltero a las que por supuesto asistía Macorina, en las cenas de matrimonios jóvenes al dejar a las señoras solas para que hablaran de sus asuntos, en las fiestas infantiles, en las graduaciones de los hijos, en el casino, en la cantina o hasta fuera de la iglesia algunos domingos. De tanto repetir la anécdota cambiando las versiones, llegó un momento en que sólo Pascual Landeros, quien no había estado presente, se la sabía con fidelidad.

Él nos recordaba nuestro ataque de carcajadas al ver salir a Berna de la recámara, despeinado, sudoroso y enrojecido, pero con la sonrisa más ancha del mundo; los cinco minutos, reloj en mano, que tardó Cirilo con ella; los berridos de Macorina al coger con Demetrio; la temblorina que desmoronó el aplomo de Silvano al llegar su turno, y la bárbara borrachera que se puso Ruperto durante la espera, al grado de necesitar casi una hora para poder acabar. Pero sobre todo fue Pascual Landeros quien nos impidió olvidar lo que entre nosotros llamábamos la sobremesa: esa larga madrugada de tragos en el reservado, cuando Macorina fue más amiga que amante y nos conquistó con su sentido del humor, con su camaradería y hasta con su abnegación, ya en el amanecer, al cuidarnos mientras también por turnos vomitábamos el alcohol ingerido y los últimos rescoldos de niñez que aún albergaba nuestro cuerpo.

La parroquia repleta de caras conocidas. Ancianos nostálgicos, hombres maduros, jóvenes resentidos con la muerte, chamacos saliendo de la adolescencia, igual que nosotros aquella vez, más enamorados de la leyenda que de la mujer de carne y hueso. El ataúd cubierto de flores y coronas anónimas. Algunos tímidos suspiros se arrastran por el piso junto a las paredes, como ratones asustados. Silvano carraspea en la primera banca. Se ajusta los lentes que han resbalado sobre su nariz grasosa a causa del calor, y aprovecha el ademán para masajearse la calva. El semblante serio, igual que si estuviera en algún acto de la presidencia municipal. Él convenció al cura de decir esta misa de cuerpo presente. No importa cuál haya sido su ocupación en vida, padre, Macorina fue cristiana y merece un entierro como Dios manda, con misa y bendición. Se lo pide la autoridad. No necesitó insistir, el cura estaba convencido desde antes. La quería, como todos aquí. Por eso ahora, en tanto entona letanías, la tristeza le aflora a los ojos y sus labios tiemblan. Como los de todos. Allá en el rincón, junto a la pila bautismal, está Demetrio con sus cuatro hijos. Berna vino solo, su prole estudia fuera. Ruperto y Cirilo comparten banca con Pascual Landeros y Arcadio Beltrones, el último en gozar los medios abrazos de la Tunca, quien no despega la mirada del piso por el peso de la culpa, aunque él no haya tenido nada que ver con su muerte. El templo huele a sudor y a cera, a madera vieja, a sueño, a dolor encerrado en cada cuerpo, a melancolía. Huele a tantas cosas a pesar de que por la puerta se cuela una corriente húmeda. La mezcla se asemeja al aroma salvaje de Macorina, a esos humores que despedía en el orgasmo, cuando el follaje interno de la sangre hinchaba sus senos. Un olor furioso, denso. Macorina. Mal sitio es éste para pensar en ti. ¿Cómo evocarte en una iglesia? ¿Cómo recordar en un lugar sagrado tus aromas, tus palabras sucias, la textura de tus muslos, los pliegues de tu sexo? Mejor deberíamos pensar en tu muñón. En ese brazo que al troncharse te ganó el respeto de quienes te aborrecían. Es imposible. Tu nombre, tu presencia, aun desde la muerte, nomás nos traen imágenes pecaminosas, repeticiones de cuando gozábamos enredados en tu cuerpo.

La memoria respinga, nos pone los recuerdos enfrente y no le interesa cuál es su origen, si los dimes y diretes, los inventos de quienes no se atreven a soltar las riendas de su lujuria y crean historias que expliquen la ajena, o las confidencias verdaderas de quienes los vivieron. Creemos aquello que creemos sin necesidad de pensarlo y en la mente se nos hacen bolas las voces que alimentaron esas creencias. Se trata de un asunto de fe. Por eso sabemos que nuestra amiga tuvo una infancia feliz junto al mar, con un padre lanchero y dos hermanos varones que se encargaron desde muy temprano de hacerla sentir deseada. Por encima de las oraciones del padre Bermea, incluso sobre el rumor acompasado de nuestra respiración, escuchamos el tono grave, monocorde, de Macorina atravesando la muerte. Sí, fui feliz, dice. No iba a la escuela, corría libre por la playa, jugaba con mis hermanos. La vemos tomar un cigarro y encenderlo con la colilla del anterior. No saben cómo adoraba a Walter y a Yuri, suspira. A mi padre no. A lo mejor no era mi padre, ni ellos mis hermanos. No nos parecíamos en nada. Yo me quedé ahí porque mi madre murió. De ella no me acuerdo. Él salía temprano en su lancha y no regresaba hasta muy tarde. Borracho, claro, y los labios de la Tunca se arrugan con desprecio. Eso nos dejaba el día entero para querernos mucho los tres. Luego una noche fueron a decirnos que se había ahogado. No hubo sorpresa, ni dolor. Nomás alivio. Éramos todavía chicos, pero la orfandad nos iba a dejar querernos más. El padre Bermea pide perdón por los pecados del mundo y la voz y el rostro de Macorina se desvanecen de la memoria. En su lugar aparece entonces el papá de Silvano, quien también cruza la barrera de la muerte para seguir azuzando la maledicencia. Uno de mis choferes fue a Tampico a llevar carga, dice, y se dio una vuelta por Pueblo Viejo para ver de dónde salió esa güila. No saben lo que le contaron. A ver si así la siguen defendiendo, muchachos cabrones. Que se cogía a sus propios hermanos la muy perdida. No, si yo siempre supe el monstruo que era. Quesque hasta la iban a empalar, pero se les peló. Por mi culpa, por mi culpa, por mi gran culpa, susurra el señor cura mientras nosotros nos golpeamos el pecho procurando no alzar la vista hacia el crucifijo del altar.

Fue su consagración, dijo Pascual Landeros una vez que recreamos esa primera madrugada. Es cierto, dijo Cirilo, con nosotros agarró fama y le siguió con los otros huercos conforme crecían. Así que de nosotros pa bajo todos se estrenaron con ella. No, si cabrona era, terció Berna. Ay, Tunca, Ruperto sonreía, nunca sabrá este méndigo pueblo cuánto te debe. Pero entonces aún no era la Tunca sino Macorina a secas, e íbamos a verla casi a diario, según el dinero que le sacáramos a nuestros padres y el tiempo que le dejaban otros clientes. De ser la muchacha nueva, se había transformado en mito. Nadie disfruta su trabajo como ella, decían los decires, es la única que te trata como si fuera la esposa de tu mejor amigo. Atraía igual a maduros o jóvenes, locales o de pueblos cercanos, madrugadores o desvelados, siempre dispuesta y de buen humor. Nosotros la buscábamos a cualquier hora y no era raro encontrarnos a los demás en el reservado, donde platicábamos como si estuviéramos en la antesala del médico. No había celos de por medio; no éramos posesivos y ella nos trataba del mismo modo, con pasión, con la camaradería cachonda de una amante de toda la vida. No obstante, comenzamos a espaciar las visitas luego de toparnos con las trocas de nuestros padres afuera del burdel. Más tarde partimos a la universidad y nada más la veíamos en vacaciones. Como en los matrimonios viejos, el ardor inicial dio paso a un deseo sosiego que dejaba tiempo a otros intereses. No fue sino hasta nuestro regreso de Monterrey, para instalarnos de manera definitiva en Hualahuises, que nos enteramos de que Macorina era la nueva dueña de la casa de doña Pelos.

La vieja dobló las manitas, dijo Landeros. No tuvo remedio. Muchas güilas le renunciaron porque los clientes sólo quieren con la Macorina. Ai quedan las que no tuvieron a dónde ir, o las muy jodidas, ésas donde estén agarran puro briago perdido. ¿Y de dónde sacó la lana?, preguntó Cirilo. ¿Cómo de dónde?, pos de entre las piernas, Pascual lanzó una carcajada. Con tanta cogida esa vieja tiene más billetes que tu papá. Era cierto. Durante las primeras semanas de nuestro retorno supimos que, poco a poco, sin proponérselo, Macorina le había arrebatado clientes de toda a la vida a las otras putas, al grado de que por las noches se formaban colas de cinco o seis hombres frente a su cuarto, mientras el resto de las pupilas del burdel se aburría abajo contemplando su cerveza. Algunos ricos intentaron hacerla su querida. El padre de Silvano incluso le ofreció la mejor casa de Hualahuises, un escuadrón de sirvientas y las ganancias de la ferretera. No quiero compartirla, mi alma, dijo Pascual Landeros que dijo el papá de Silvano. Estoy harto de andar revolviendo el atole de otros cabrones. Usted tiene que ser para mí. Ella al principio le dio largas, mas cuando don Aureliano terqueó, terminó por desanimarlo. Mire, don, yo no hago lo que hago nomás por dinero, sino también por gusto, y aunque usted tiene hartos billetes es muy poco el gusto que me da. Así era la Macorina de claridosa. Nunca dejarás de ser una triste piruja, y Pascual engolaba la voz. Sí, don, soy muy puta, la más puta de todas. Pos yo creo que tu madre fue más, y por mí te puedes ir a la chingada, concluyó el viejo con la voz de Pascual enmedio de nuestras carcajadas. Esa discusión entre Macorina y don Aureliano le dio la vuelta al pueblo hasta llegar a oídos de la madre de Silvano. Pascual aseguraba que, al escucharla, la doña había sonreído muy altiva, pero esa tarde la vieron en la parroquia, llorando frente a la imagen de la virgen de los Remedios. De agradecimiento sería el llanto, opinó Landeros. Y a lo mejor no andaba errado. Quizás ese día se despertó en la señora cierta simpatía por la prostituta. Acaso desde entonces se afirmó entre ellas una unión oculta que ahora llega a su fin con el cuerpo de Macorina ocupando el ataúd que debía ser de doña Lilia.

Otros machos quisieron ponerle casa, y ella los rechazó. No le interesaba ninguna. La residencia a la que le había echado el ojo era nada menos que El Marabú. Daba ya pocas ganancias, dijo Landeros. Los hombres ni chupaban por no descompletar la tarifa de Macorina. Ella aumentaba su precio seguido para ver si así le bajaba la clientela. Andaría cansada, la pobre. Y aunque doña Pelos le cobraba la comisión de costumbre y el uso del cuarto, como no le salían los gastos le pidió consejo al ardido de don Aureliano. Mira Carlota, dijo Landeros imitando la voz del viejo, si no despachas a esa puta incestuosa de aquí te va a joder el negocio. Córrela. El pueblo estaba mejor antes de que llegara. En ese tiempo Macorina recibía un día sí y otro también a don Neto, entonces presidente municipal y papá de Berna, y no le fue difícil obtener su protección. Óigame bien, doña Pelos, esta vez Landeros hizo la voz chillona, si usté corre a mi muchacha me cae que le cierro su pinche changarro, ¿queda claro? Ai tengo un chorro de multas acumuladas. Sí, señor presidente, a Pascual le temblaron las palabras por contener la risa. Cállese, no he terminado, carajo, atajó don Neto. Ora que me acuerdo, hay una orden de aprehensión en su contra por promover el vicio y el sexo ilícito, así que vaya pensando en ahuecar el ala usté mera, porque Macorina me gusta pa matrona de este congal. Véndaselo, o véndamelo a mí. Usté se me larga de Hualahuises.

En cinco años Macorina había ganado más de lo necesario para comprar el burdel, por lo que no escatimó en cambiar la decoración y construirle una sala de lujo y más cuartos, hasta dejarlo por dentro semejante a la mejor casa de citas de Monterrey. Mandó hacer un anuncio luminoso con el nombre de El Marabú, que los del pueblo ignoramos para seguir llamando al congal la casa de doña Pelos. Trajo muchachas de Veracruz y de la frontera, y subió el costo de la bebida y el servicio. Aumentó de nuevo su propio precio, que ya sólo los ricos pagaban, aunque nunca le faltaron menesterosos que ahorraban durante meses con tal de pasar un rato en su cama. Eso sí, se reservaba la primera vez de los muchachillos. No por chacala, sino porque se había tomado muy en serio su papel de desvirgadora, de madrina de primera comunión pues, decía Pascual Landeros, de todos los varones del pueblo.

En esos tiempos nosotros nos mantuvimos a distancia. Muy de cuando en cuando caíamos por el burdel, de prisa, sin platicar mucho, a lo que íbamos y ya. Habíamos formalizado relaciones con las novias y ellas se portaban más complacientes. Entonces, con tiempo libre y dinero para gastar, Macorina empezó a dar largos paseos por Hualahuises en su troca último modelo, iba de compras a Monterrey y a McAllen, o contemplaba la tarde desde una mesa de la nevería, escandalizando a las buenas conciencias. Cómo se atreve, decían las señoras. ¿Creerá que no sabemos quién es? Se burla de nosotras. ¡Pero hay un Dios! Macorina apenas pasaba de los veinte, vestía bien, hasta con cierta elegancia, su trato era agradable y sus modales discretos. Mas de tanto ver caras agrias, de tanto sentir la aversión de las mujeres y la hipocresía de los hombres en público, comenzó a encallecerse por dentro. Incluso nosotros, sus camaradas, desviábamos la vista al cruzarnos con ella en la calle, y si la novia estaba presente hasta nos atrevíamos a hacer algún comentario mordaz. Ella no podía con el rechazo. Había dedicado su vida a procurar placer y condicionaba el suyo a la satisfacción de sus prójimos. Era una puta; no una mercenaria. Nada la llenaba como la felicidad de la gente a su alrededor. Por eso sufría con el repudio. Por eso se endureció. Algo se iba comprimiendo en su interior: una suerte de soberbia, un delirio de grandeza. Se pintó el pelo de rojo y se volvió pedante, retadora. Si las mujeres le sacaban la vuelta en la calle, ella desviaba a su vez el camino con el fin de provocar el encuentro y, frente a frente, las miraba como diciéndoles: Hoy en la noche me voy a coger a tu marido. En esos días se convenció de que para ella cualquier cosa era posible, porque tenía al pueblo agarrado en un puño. O en el coño, concluyó Pascual Landeros.

El señor cura nos pide una oración por el eterno descanso del alma de nuestra hermana y nosotros, entre esta suciedad sagrada, con la sensación del incesto encima, nomás podemos recordar su cuerpo. Su piel caliente que rueda en todos nuestros recuerdos reprimidos. Es raro un templo lleno de puros hombres. Hacen falta voces de mujer para murmurar los rezos. Tanto se extraña la presencia femenina que hasta los pasos de los demás nos suenan a taconeo de zapatos altos. Cuando me largué de Pueblo Viejo, oímos la voz de Macorina sobreponiéndose de nuevo a los murmullos dentro del templo, tenía quince años. En

Tampico trabajé de criada de casa de ricos. Ahí vi cómo me gustaría vivir, con cosas caras, en habitaciones amplias, con harto aire, vistiendo ropa fina. Estuve meses piense y piense la manera de conseguir una vida así, hasta que el señor de la casa me la enseñó al ofrecerme mil pesos por acostarse conmigo. No acepté, entonces me creía decente. Al contrario, le advertí indignada que si volvía a proponerme cochinadas lo iba a acusar con su esposa, dice entre risas. Ay, qué pendeja, pero qué retependeja era, ¿no? Y todo por estar enamorada del chofer del señor. El idiota estaba casado, pero yo me vine enterando hasta que la señora me corrió según ella por andar de ofrecida con su marido. Bueno, de todo se aprende. Con esa experiencia me curé de dos cosas muy perjudiciales: del amor y de la supuesta dignidad. Desde esos días soy libre y volví a ser feliz como cuando niña.

El viento arrecia. Seguro las nubes ya cubren por completo el cielo. Las últimas corrientes de aire metieron un olor de azahar parecido a algunos perfumes. Ésta va a ser una buena cosecha de naranja. No, no es el viento: deveras huele a talco, a afeites de mujer. Todos lo notamos. Viene de atrás. Pascual Landeros se alborota en su sitio sin atreverse a voltear. Silvano se rasca la oreja igual que si le zumbara una mosca. Otros se ven inquietos. Miran fijo el féretro de Macorina como si esperaran verla de pronto recobrar la vida y levantarse con la sonrisa que ilumina nuestro recuerdo. Nada pasa. Es el sacerdote quien nos muestra la verdad al volverse para dar la bendición. Sus ojos sorprendidos, fijos en el fondo, indican que hay mujeres en el templo. Jamás hubiéramos creído que pudieran sonar tan fuerte los tacones de una anciana. La fragancia cobra cuerpo; huele a ropa lavada con suavizante, a perfume caro, a mujer moviéndose con pasos de mujer. Se escucha una voz ahogada, pero segura: Ese féretro era para mí. En la primera fila Silvano se estremece al reconocer las palabras de su madre. No me mire así, señor cura, no vengo a echar pleito. El rostro arrugado de doña Lilia, inmóvil, es una piedra escarpada que refleja sin embargo cierta dulzura, una luz interior serena, generosa. Yo misma aprobé la decisión de darle el ataúd a esa muchacha, continúa. Estoy aquí porque quiero ofrecerle mi último adiós, como las señoras que me acompañan. Entonces, tras oír un leve crepitar de voces, todos giramos la cabeza para ver que en la entrada de la parroquia hay varias mujeres. Nuestras esposas, nuestras madres, algunas de las hijas. Llevan manojos de flores en las manos, flores de sus jardines, ofrendas personales que van a depositar sobre la cubierta del ataúd. Sólo esperan que el padre finalice la misa de cuerpo presente antes de llevar a Macorina al camposanto.

La maldición va a caer sobre el pueblo por causa de esa piruja, dijo Landeros que le había dicho su esposa al nuevo presidente municipal, un político advenedizo enviado de Monterrey que no pertenecía a las familias importantes. Nosotros reímos revolviendo las fichas mientras el administrador del casino, demasiado joven para el puesto, supervisaba la instalación del aire acondicionado. Entre los martillazos de los albañiles que hacían el agujero y la verborrea de Pascual resultaba imposible concentrarse en el juego. Carajo, apúrenle, dijo Demetrio. Debo pasar por mhijo a la secundaria. ¿No va en la mañana? Juega futbol y sale a las seis, búiganle. ¿Y por qué no mandas a tu ñora?, Cirilo y sus preguntas tontas. Demetrio no respondió. Berna abrió el partido. El presidente se quedó callado, continuó su relato Landeros, y la vieja se puso a echar madres. No te creas, chillaba, a veces me da por pensar que eres de los que se revuelcan con esa puta y por eso no haces nada, degenerado. ¿Cómo crees, vieja?, respondió el munícipe según Landeros. ¿Y sí es?, preguntó Berna. Pos claro, es de los más asiduos; además le compra toda la cosecha de naranja y mandarina. Nuestra amiga era ya terrateniente. Sus naranjales se extendían hasta los límites de Linares y daban trabajo bien pagado a más de cien peones que la adoraban y le decían patrona con veneración. Entre tanto negocio, a su antiguo oficio le dedicaba apenas un rato al día, nomás con clientes muy importantes y con los amigos. Sin contar los estrenos, que ahora les salían gratis a los huercos, por el puro placer. Oye, Demetrio, ¿y cuándo vas a llevar al primogénito a desquintarse con la Macorina? Ya viene siendo hora, ¿no? Qué pendejo eres, Cirilo. ¿Qué? ¿A poco no lo llevas para luego no encontrártelo ahí, como la vez que llegamos y estaba tu papá esperando turno? Deveras eres pendejo, remachó el aludido. Tras un rato durante el cual sólo se escucharon los martillazos en la pared y los chasquidos de las fichas, Berna se volvió hacia Demetrio. ¿Sí sigues yendo?, preguntó casi en un susurro. Como tú, fue la respuesta, como este cabrón, como Silvano, como todos. Dime quién puede decir yo no después de haberse encamado con ella. Yo puedo, contradijo Landeros. Sí, tú sí, Pascual, pero seguro eres el único en Hualahuises que nunca ha cogido con Macorina. Has de ser puto.

La frecuentábamos de nuevo, cada vez más seguido. Conforme transcurrían los años y nacían y crecían los hijos, los matrimonios se fueron enfriando hasta caer en una distancia cordial semejante a la que ya habíamos visto entre nuestros padres. El pueblo progresaba, incluso algunos se referían a él como la ciudad, y el aumento de actividades propiciaba cierto anonimato. Además, para vernos con ella ya no era necesario ir a casa de doña Pelos; Macorina nos citaba en su cabaña del rancho, alejada de la población y de la carretera, enmedio de cientos de naranjos, donde hacíamos el amor envueltos en el aroma de los azahares. Por esas fechas el rechazo de las señoras hacia nuestra amiga empezaba a diluirse. Su presencia se había vuelto común en algunos lugares, y ellas tenían otras preocupaciones aparte de andar viendo con quién se acostaba el marido. Nomás las amargadas seguían al pendiente de qué hacía o dejaba de hacer, pero hasta éstas le reconocían sus virtudes como empresaria que ayudaba a los más pobres. Comenzaba a ser respetada. Pero nosotros la conocíamos bien y sabíamos que eso no le era suficiente. Ansiaba ser querida. Quién sabe si de tanto desearlo hizo algún pacto con Dios en el que, a cambio de ver su anhelo cumplido, tuvo que perder parte de su cuerpo de pecadora.

Sucedió al final de la pizca. Cuando las bodegas se atascan de fruta y llegan camiones de todas partes para llevársela a los mercados de Monterrey y del otro lado. En costales, en rejas o a granel, los macheteros llenan contenedores hasta el tope mientras las moscas zumban, las mujeres preparan naranjadas frías, los choferes fuman y los niños andan vueltos locos corriendo y gritando como si se tratara de un día de feria. Esa temporada los naranjales de Macorina dieron para más de treinta trailers y ella en persona supervisaba el vaciado de la bodega, la carga, el pesaje y la partida de la mercancía. Nadie supo cuál fue la causa: cuando el último tráiler se alejaba de la zona de empaque arranado por el peso, lleno de temblores y bufando como toro en corrida, al pasar por un enorme bache la caja lanzó un largo rechinido, luego se tambaleó un poco hasta zafarse del tractor y comenzó a irse hacia atrás con lentitud. Todo mundo se dio cuenta, mas nadie hizo nada; estaban paralizados. El contenedor, con sus treinta y pico toneladas de naranja adentro, lanzaba un pillido intermitente en tanto se aproximaba al muro de las bodegas junto al que había varios autos estacionados, entre ellos la camioneta de Macorina que ya tenía el motor andando. Ella, inmóvil también, contemplaba el desplazamiento sin preocuparse demasiado, pues su camioneta quedaba fuera de la trayectoria. Pero al notar cómo, tras un fuerte crujido, el contenedor agarraba velocidad a causa de un desnivel del suelo, un mal presentimiento la hizo voltear a los vehículos a su lado. En el mismo instante en que una mujer gritaba histérica ¡el niño!, Macorina alcanzó a ver de reojo una carita oculta entre la defensa de un jeep y el muro. El huerco jugaba a las escondidas con sus amigos y no había notado la caída de la caja del tráiler. Ella casi no tuvo tiempo de abrir la puerta y saltar fuera de la troca. Se tupieron los gritos. La madre del chiquillo lloraba histérica. Macorina llegó junto al muro cuando tronaron los cristales de los faros, logró empujar al niño antes de los primeros gemidos de la carrocería y brincó a un lado mientras los ladrillos retumbaban con el impacto. Al diluirse al fin aquella estridencia de vidrios rotos y fierro apachurrado, ya sólo se oían en el lugar el llanto del escuincle y un quejido sordo de Macorina que, tras repetirse dos veces, se extinguió. Alcanzó a sacar el cuerpo al golpe, pero su brazo izquierdo quedó prensado por encima del codo y la sangre le cubría hasta el cabello.

No pudieron salvárselo, dijo Pascual Landeros abatido y con aire de culpabilidad unas horas después del accidente. Se lo acaban de amputar. Esa noche no estábamos en el casino, sino en la cantina, y Silvano, quien era secretario general del municipio, les pidió a los parroquianos que por favor no escandalizaran, y al cantinero que apagara la televisión y desenchufara la sinfonola. ¿Y ella cómo está?, preguntó Berna. Yo también vengo de la clínica, dijo Demetrio. Parece estable. El doctor Larios me contó que mañana viene una avioneta para trasladarla a un hospital de Houston. ¿Le van a pegar el brazo allá? No, eso no tiene remedio. Le van a hacer cirugía plástica y no sé cuántas chingaderas más. Seguro queda bien, dijo Cirilo, nomás que mocha. Y aunque el aprecio por Macorina creció a raíz de lo que la gente consideró un hecho heroico, desde esa noche todos comenzaron a llamarla la Tunca.

El accidente había provocado conmoción entre la población femenina de Hualahuises. La mamá del niño fue a ver a la herida al hospital y lloró agradeciéndole haber salvado la vida de su hijo. Otras la imitaron. Y hasta el señor cura dijo unas palabras al respecto durante un sermón dominical. Se habían acabado los anatemas. Igual que la Magdalena, Macorina de prostituta pasó a ser casi santa. Semanas más tarde, a su regreso del otro lado, sin su brazo izquierdo pero más guapa y joven, algunas señoras fueron a su casa a darle la bienvenida, las del club de jardinería la invitaron a sus sesiones y algunas más a tomar café. Seguro creían que, al haber quedado manca, sus días de piruja habían concluido; que los hombres ya no la buscarían y que, por lo tanto, podían aceptarla entre ellas.

Se equivocaron y no. Tras la pérdida del brazo, Macorina se volvió más puta que nunca. Era como si junto con él hubiera perdido su aplomo, la seguridad en sí misma, y ahora necesitara el sexo a manera de afirmación. Le urgía sentirse aún deseada por los machos. Pronto dejó de aceptar las invitaciones de las damas. Le traspasó sus huertas y bodegas a Silvano, liquidó todos sus intereses y fue a instalarse de tiempo completo en la casa de doña Pelos. En lo que sí acertaron las señoras fue en que los hombres la rechazaríamos. Ninguno quería saber nada de una mujer con un brazo menos. Macorina nos enviaba recados con los mozos del burdel, nos hablaba al celular, y cuando lograba establecer contacto pretextábamos trabajo o algún pendiente de familia. No cejaba. Volvía a insistir. Su voz a través del aparato era una quejumbre cachonda que nos recordaba nuestros gustos específicos, secretos, y la manera en que ella sabía satisfacerlos. Varias veces estuvimos a punto de ceder, mas a la mera hora nos rajábamos al imaginarla desnuda, sin el brazo, y en lugar de éste un muñón grotesco lleno de puntadas oscuras. No sean ojetes, nos decía Pascual Landeros, quien desde la tarde del accidente parecía perseguido por un misterio o por un remordimiento. ¿No que la querían tanto? No estés chingando, cabrón.

65

¿Por qué no vas tú? Porque a mí no me llama. Quiere con ustedes, sus primeros novios en Hualahuises.

Esa situación no podía durar. La nostalgia jalaba fuerte y el recuerdo de los momentos al lado de Macorina eran un afrodisiaco que nos mantenía nerviosos e irritables días enteros. Pronto comenzamos a hablar de ella de nuevo, a contarnos detalles que jamás nos habíamos atrevido a hacer públicos, a recordar sus posiciones predilectas, sus habilidades fuera de lo común, complacencias que nuestras esposas ni en sueños. Éramos cuarentones y la cosquilla del segundo aire comenzaba a mordernos ciertas zonas del cuerpo. La carne se nos volvía más y más débil. Una tarde en el casino Berna alzó la vista de sus fichas y miró a Demetrio con satisfacción. Pos yo ya no me aguanté, dijo. Fui anoche anca doña Pelos. Sin mucho interés, Demetrio puso su ficha en la mesa y preguntó: ¿Y qué tal las morras? ¿Hay nuevas? Ni las miré. Al escucharlo, detuvimos la jugada. ¿Te metiste con ella? La respuesta de Berna fue una sonrisa semejante a la de veinticinco años atrás: la más ancha del mundo. Así serás de caliente, dijo Ruperto. ¿Y no te dio cosa?, preguntó Cirilo. ¿Qué me iba a dar? No sé, asco, supongo. No, ni madre. Algo le hicieron en el gabacho que la puso igual que rifle nuevo: las tetas duras, las piernas lisas, nalgas de esponja. Da unos apretones de quinceañera, tiene movimientos de coralillo, pide a gritos que le des más, te besa como tu esposa en la noche de bodas. ¿Qué quieren saber? ¿Y el brazo?, insistió Cirilo. Nhombre, ni te acuerdas del cabrón brazo. Esa vez no nos acompañaba Pascual Landeros, pero de cualquier modo el relato de Berna le dio la vuelta al pueblo. Primero nosotros, luego los demás, los hualahuilenses volvimos a hacer antesala en el reservado de la casa de doña Pelos. Berna tenía razón, a sus cuarenta y pocos, mocha, Macorina lucía más bella y mejor formada que cuando la conocimos. Con el añadido de que, ahora, cada noche ponía en práctica la experiencia adquirida en tanto tiempo de encamarse con nosotros. Nos dejaba exhaustos, sin fuerza ni para levantarnos del colchón, tiritando de sensaciones. Nomás los adolescentes continuaron de remilgosos por unos meses. Cómo vamos a ir nuestra primera vez con una lisiada, decían, y además vieja. Pero en cuanto las leyendas acerca de las habilidades renovadas de la Tunca alcanzaron sus oídos y prendieron su calentura, todos volvieron a considerar un privilegio perder la castidad con ella.

Inmóviles, mudos, medio ocultos en el follaje de los naranjos, los pájaros miran con ojos de asombro el cortejo fúnebre. Hemos avanzado dos cuadras y aún no se le ve fin. Quienes no marchan tras el féretro nos contemplan desde el zaguán de su casa, o desde el mostrador de su negocio. La mirada baja, parecen absortos en nuestros pies, en la tierra suspendida unos centímetros encima del suelo, apenas los suficientes para espolvorear el cuero de zapatos y botas. Nunca el pueblo había visto semejante multitud en un entierro. Nunca tanta gente caminó codo con codo rumbo al camposanto. Una ráfaga de viento envuelve la procesión y levanta un poco más de polvo. Nadie lo nota. Sólo algunos de los caminantes alzan la vista por un segundo al cielo ennegrecido, y enseguida la devuelven a la calle. Encabezan la columna el padre Bermea, quien lleva su incensario, Silvano y doña Lilia, como hace una década encabezaron el cortejo de don Aureliano, aunque en aquella ocasión no hubo ni la mitad de concurrencia. Desde donde contemple la marcha, Macorina ha de estar feliz: dirigen su entierro nada menos que el presidente municipal, el señor cura y la dama más respetada de Hualahuises. Se le rinden honores. Ya nomás falta que le erijan un busto en la plaza principal o frente a la casa de doña Pelos. Una estatua mocha, igual que la Venus de Milo.

Detrás del trío importante vamos sus amigos cercanos, quienes le dimos la bienvenida aquella noche. Berna, grandote y correoso, lleva la cabeza gacha y los hombros caídos quizá por primera vez en su vida. Ruperto va en silencio, los ojos vueltos hacia las remembranzas que bullen en su interior. Demetrio resuella y se soba los brazos como si resintiera el frío del aguacero que está por caer. La cara de niño tonto de Cirilo ha adquirido madurez, y ahora su traza es la de un viudo que de pronto se sabe solo por el resto de su existencia. Pascual Landeros no viene en el montón. Se desgajó de nosotros al salir de la iglesia con aspecto de querer ocultarse para que no lo viéramos llorar. Seguro llegará después al cementerio. Un poco más atrás va Lauro, aquel niño a quien la Tunca salvó. Ya es un hombre, pasa con mucho de los veinte. Lo acompañan su padre, su madre, su esposa y su hijo. Su retoño era ahijado de Macorina, se lo ofreció a manera de agradecimiento, y la mañana del bautizo fue la primera vez que alguien vio brillar sus pupilas con lágrimas de alegría. Según Pascual, el padre Bermea dijo entonces: Si una mujer es capaz de expresar su sentir con lágrimas, no importa a qué se dedique ni cuánto haya pecado, tiene alma dentro del cuerpo. En esta vida el llanto es de gente noble, dijo Landeros imitando la voz de sermón admonitorio del cura, sin saber que tan sólo citaba una canción de José Alfredo Jiménez. Lauro ha sido un hombre feliz, envidiado por los hombres del pueblo. Lo del bautizo del niño no fue sino el último vínculo que estableció con Macorina. Además de deberle la vida, también es su ahijado, nos dijo una tarde Pascual Landeros. ¿De bautizo o confirmación?, preguntó Ruperto incrédulo. Se me hace raro. El señor cura... ¡Ah, cómo serás güey!, lo interrumpió Cirilo. ¡De primera comunión! ¿No ves que ella se lo desquintó? Carajo, ¿a él también? Demetrio fingió escandalizarse. ¡A huevo! En cuanto cumplió catorce se lo pasó por las armas, informó Silvano. Aunque esta vez fue con el consentimiento público del papá, y hasta de la mamá. Sí será cabrona la Tunca, dijo Landeros con sonrisa burlona. Primero le salva la vida al mocoso y luego le enseña a disfrutarla. Eso es servicio completo, ¿qué no?

Ya cuando los adolescentes de aquí y de Linares y de Montemorelos y hasta algunos de Monterrey la empezaron a buscar de nuevo para que los iniciara en los menesteres de la cama, Macorina era considerada una institución regional. Su nombre servía de referencia en todos los burdeles, casinos, cantinas y plazas. Se trataba de nuestra gloria local, la persona más conocida de Hualahuises. Partía las calles como si fuera dueña de todas las voluntades; saludaba por igual a hombres y mujeres, y ellos y ellas le devolvían el saludo con orgullo de codearse con un personaje tan famoso. Su carácter se volvió más suave, amigable, incluso dulce. Entraba a los comercios a platicar con los dependientes, intercambiaba recetas de cocina con las señoras y les daba consejos sobre cómo mantener el interés del marido. Si se topaba a un niño en la calle le alborotaba el greñero o le pellizcaba los cachetes sin que nadie se maliciara nada ni pensara que la Macorina pensaba lo que de seguro estaba pensando: Crece pronto, huerco, para estrenarte...

Nunca supimos qué le hacían en sus misteriosos viajes al gabacho, pero mientras ella se conservaba joven, lozana y con el cuerpo flexible, a nosotros se nos endurecían los huesos, se nos colgaban los pellejos, nos volvíamos lentos, pesados. Algunos, como Berna y Silvano, habían llevado ya a sus propios hijos a conocer a Macorina sin advertir que con eso le daban una vuelta más, la definitiva, a la manivela del tiempo, reviviendo aquella noche de tantos años atrás: el hijo de Berna salió del cuarto con una sonrisa anchísima y Silvanito estuvo a punto de no cumplir con hombría a causa de un temblor súbito. Aunque ni siquiera el relevo generacional nos hizo alejarnos de la querencia. Si bien ya no con la constancia de antes, seguíamos yendo a casa de doña Pelos, al cuarto de la Tunca, porque ése era el único sitio del mundo donde nos sentíamos jóvenes, con toda una vida por derrochar aún.

Caen las primeras gotas de un aguacero que se anticipa rabioso. Aplacan el polvo en la entrada del camposanto; repiquetean en el fieltro de los sombreros. Nadie abandona el cortejo. Ni las mujeres. Cada uno continúa rumiando su propio recuerdo de Macorina en tanto esquiva hoyos abiertos, cruces, tumbas de lápidas agrietadas que han estado sin una flor por décadas. La lluvia al fin se deja venir en serio y la columna comienza a dispersarse, pero no por el agua, sino porque los estrechos andadores del panteón no nos permiten seguir juntos. Luego de cruzar la zona de criptas donde reposan los restos de don Aureliano, don Neto y otros prohombres, llegamos al lote que la Tunca compró hace apenas unos meses como si presintiera su fin.

Nos lo dijo cuando, esta vez por pura casualidad, coincidimos de nuevo todos en la antesala de su cuarto. Contenta de vernos ahí reunidos, ella propuso que en lugar del esperado acostón pasáramos la noche en plan de camaradas. Yo invito, dijo y le ordenó a una de sus muchachas un pomo de whisky para cada uno. Silvano empezó a decir que él prefería coñac, mas ella lo apaciguó con una sola mirada. Y si les urge coger, agregó Macorina, mando llamar a cualquiera de las mocosas de allá abajo. Hoy descanso y quiero hacerlo en compañía de ustedes.

Fue una reunión de viejos compinches. La última. Y, cosa rara, lo que esa noche se dijo quedó fuera del alcance de las orejas de Pascual Landeros. Los primeros tragos y las primeras horas se nos fueron en recordar anécdotas de otros tiempos, las mismas de siempre, que nos hacían reír cada vez más conforme corrían los años. Después, con el cerebro un tanto alborotado por el alcohol, saltaron a la plática episodios más íntimos. ¿Te acuerdas, Berna?, preguntó Macorina, ¿cuando me propusiste que huyéramos juntos porque ya no querías compartirme con éstos? Ey, me acuerdo. Yo te hubiera dado lo que quisieras, mujer. ¿Y tú, Silvano? ¿Cuando me amenazaste con matar a tu papá si lo recibía otra vez? Ah, cabrón, saltó Cirilo. ¿A poco era en serio? Sí, dijo Silvano, fue en serio. Pero era por tu mamá ¿no?, preguntó Demetrio. Por mi madre, por mí, la voz de Silvano sonó cavernosa, porque no soportaba que sus puercas manos tocaran lo que para mí era sagrado. Macorina se arrimó a Silvano, lo abrazó con su único brazo y le dio un beso en el cuello. Tenía expresión de llanto, aunque sus ojos seguían secos. Ah, qué mi presidente municipal, resolló, pos no sé qué opines de esto, pero tu padre y yo vamos a pasar la eternidad muy juntos. ¿Por?, Silvano la veía sin comprender. Acabo de agenciarme un lote en el panteón a unos cuantos pasos de la cripta de don Aureliano. Entonces, Macorina, sonrió Silvano arrimándole los labios a la mejilla, yo me voy a mandar construir otra tumba más cerca de ti.

El whisky llenaba los vasos, los recuerdos brotaban uno tras otro, nos abrazábamos, le reiterábamos nuestro aprecio a la Tunca y ella se apretaba a nosotros, nos cubría el rostro de besos y enseguida lanzaba otra remembranza al ruedo de las memorias. De madrugada, muy borrachos, necios y llorosos, nos empeñamos en que ella confesara a quién de nosotros quería más. Es obvio que quien te gustó desde el primer día fue Berna, dijo Silvano, quien más te hace reír es Cirilo, el que te enloquece en la cama es Demetrio, Ruperto te provoca una ternura maternal y yo te hago sentir segura. Macorina nomás asentía con mirada confusa, como si aprovechara las palabras de Silvano para repasar sus sentimientos. Pero, ¿a quién quieres? A todos, respondió luego de pensarlo un segundo. A todos igual. No, no, mujer, protestaba Demetrio arrastrando la lengua. Debe haber uno, si no de nosotros, del pueblo, que te haya movido algo aparte de las ganas, de la risa, del amor de madre o del gusto por los billetes. Sí, alguien, interrumpió Cirilo de pronto muy serio, a quien hubieras querido conocer mejor, entrar en su vida y hacerlo feliz nomás a él. Ella entonces fijó los ojos en un cuadro colgado en la pared, semejante al vitral de la puerta del casino, donde una mujer se baña desnuda en el río mientras un hombre la contempla oculto entre unos matojos. Notó que su cigarro se había consumido y encendió otro aspirando el humo con un gesto de placer. Sí, dijo. Hay alguien así. Su rostro adquirió una expresión soñolienta que no le habíamos visto. Todavía se demoró unos segundos antes de soltar el nombre. Pascual Landeros, dijo. ¡No puede ser!, tronó Berna. ¡Ese cabrón es puto! ¿Tú crees?, Macorina sonrió irónica. A mí no me parece. ¿No es cierto que es el único macho del pueblo que nunca se te ha acercado?, preguntó Ruperto. Sí, es cierto. ¿Entonces? La Tunca alzó su muñón como si señalara algo al frente, enseguida se puso de pie y dio unos pasos tambaleantes por la sala. La borrachera la hacía lucir mayor, estableciendo cierta coherencia entre su aspecto y su edad. A él le debo lo que soy, ¿qué no?, preguntó. Desde el principio ha hablado de mí. Gracias a él ustedes vinieron aquella noche y siguieron viniendo estos años. Me hizo famosa y luego extendió mi fama a otros pueblos y ciudades de la región. La gente conoce mi vida por sus palabras. Macorina volvió a sentarse, tomó un trago, fumó. Además, ese hombre me quiere más que todos ustedes juntos. Me ama deveras. ¿Te lo ha dicho?, preguntó Silvano. Nunca he hablado con él, respondió Macorina. Pero esas cosas se sienten. No es necesario oírlas.

El aguacero, que con sus truenos nos impidió escuchar la última bendición del señor cura y ahora dobla las ramas de los árboles hasta el suelo, terminó por vencer la devoción del pueblo hacia la Tunca. Primero se retiraron las señoras, entre ellas doña Lilia. Con el vestido y los cabellos empapados, puso una rodilla en el lodo, se persignó y dejó una flor sobre la caja antes de salir del panteón acompañada de su nuera. Las escoltaba el padre Bermea, quien repartía palabras de resignación y palmadas en los hombros de los varones. Luego se fueron los jóvenes y los viejos. A unos la muerte los aburre, a los otros los asusta. Además, apenas si la conocieron. Los ancianos le deben su despedida de la carnalidad. Los muchachos su iniciación, y eso no se olvida, es cierto, aunque pronto encontrarán otras macorinas para llenar el hueco que les dejó ésta, la nuestra. Lauro partió detrás de ellos con su familia. Los hombres maduros aguantaron el agua un poco más, pero en cuanto vieron que la tormenta parecía reventar los techos de las criptas quizá pensaron que, ya mostrados sus respetos, no tenían por qué arriesgar la salud exponiéndose a una pulmonía. Arcadio Beltrones fue de los que más resistió. Al final, aún con cara de culpabilidad, salió brincando charcos, sosteniéndose el sombrero con las dos manos. Se cruzó frente a la cripta de don Aureliano con Pascual, quien venía a la carrera con un paquete bajo la chaqueta. Seguro al ver a la gente abandonar el cementerio Pascual creyó que todo había terminado y no iba a encontrar más que a los encargados de tapar el hoyo.

Ese hombre me quiere más que todos ustedes juntos, dijo Macorina. Sus palabras nos rebotan en la memoria al verlo acercarse con el semblante torcido por la angustia. Se arrodilla junto al féretro, impidiendo la labor de los panteoneros que ya comenzaban a bajarlo con el fin de regresar rápido al abrigo de sus techos. Esas cosas se sienten. No es necesario oírlas, dijo. En tanto vemos cómo Landeros solloza sin hacer nada para ocultarnos su tristeza, el resplandor de un relámpago nos trae un recuerdo lejano: cuando aún éramos niños, Pascual gozaba de una fama de putañero sin igual en la región. Las muchachas de doña Pelos lo consideraban su mejor cliente y aún extrañaban su presencia cuando nosotros comenzamos a ser asiduos. ¿Y el señor Landeros?, decían decepcionadas al vernos entrar al burdel, ¿por qué no vendrá? Nosotros contestábamos cualquier cosa sin pensar mientras buscábamos a Macorina entre las mesas deseando que no estuviera ocupada.

De los párpados de Pascual Landeros ruedan unas gotas densas que se confunden con la lluvia. Sus labios se mueven. Aprieta los puños. Permanece unos minutos así, metido en su dolor y su impotencia, y después saca el bulto de la chaqueta y lo deposita en el suelo junto al ataúd. Se trata de un envoltorio alargado, semejante a una escopeta ancha forrada por una funda de cuero. Todos lo miramos, mas nadie se atreve a preguntar qué es ahora que Landeros acaricia con las dos manos la cubierta de la caja. Hasta gorda se mira, nos dijo irónico hace unas horas, y sólo ahora comprendemos que sus comentarios mordaces, sus burlas y sus preguntas constantes alrededor de la Tunca eran algo así como una cortina que cubría su sentir verdadero. Pascual suelta un broche de la tapa, el otro, el otro, y abre el féretro.

Macorina parece dormida. Luce en paz, hermosa bajo la lluvia. Su cadáver sonríe igual que cuando la vimos por primera vez, igual que la última. Tiene aspecto de adolescente; o tal vez se trata de las gotas que salpican su rostro, o de nuestra imaginación teñida por la tristeza. Nos acercamos, y el gemido que se niega a brotar de la boca se convierte en palabras repetidas muy adentro del cráneo. Nunca más sus murmullos amorosos cerca del oído. Ni las cosquillas de su lengua de mariposa. Nunca más su quejido experto. Landeros planta un beso en esa frente que jamás había besado. Recorre con el índice la juntura de las cejas, el puente de la nariz, los labios mojados. Nunca más su aliento: ese vaho de tabaco y cebolla cruda mezclado con menta. Ni su risa ronca, ni el sonido de su voz como si hablara hacia adentro. Sus dientes blancos y parejos. Pascual le acaricia el cuello, la ruta de su dedo nos provoca un sobresalto, pues por un instante creemos que va a profanar el cuerpo, pero se detiene en el muñón. Lo delinea. Traza el contorno imaginario de la mano, de cada uno de los dedos, igual que si los hubiera tocado muchas veces. Ya nunca su abrazo trunco. Esta vez las palabras se agudizan en un lamento, adquieren el tono de una voz que no es de Pascual, ni de Silvano, ni de Demetrio, ni de Ruperto, ni de Cirilo, ni de Berna, sino de todos nosotros juntos: Ya jamás el tamborileo de su pecho en el instante crucial. Tampoco la temperatura de su piel. Landeros respira muy largo y hondo, se agacha, recoge el envoltorio del suelo, le sacude el agua, lo abraza contra su pecho. Luego nos lo muestra y lo acomoda junto al cuerpo. Comprendemos entonces que el único de nosotros que no se atrevió a comprar el cuerpo público de Macorina fue quien siempre, desde el accidente, durmió en privado con él. Al menos con un fragmento. Mientras Pascual baja la cubierta, da una orden a los trabajadores del camposanto y se retira unos pasos del ataúd, lo visualizamos aquella noche colándose al hospital igual que un ratero, regresando a su casa envuelto en el sigilo y trabajando en su mesa de taxidermia hasta el amanecer con un cariño y una dedicación de los que nunca lo creímos capaz. Los enterradores corren las cuerdas por debajo del féretro, lo colocan en el hueco y lo bajan entre jadeos en tanto la lluvia redobla su ímpetu. Es el llanto del cielo. Por un segundo la imagen de Pascual Landeros solo en su cama, abrazando parte de Macorina noche tras noche durante tantos años, es un nudo de envidia en nuestras gargantas. Me quiere más que ustedes, dijo ella. Esas cosas se sienten… A lo lejos un perro aúlla abriéndole paso a la muerte. Cuando caen las primeras paladas de lodo sobre la caja, damos media vuelta y comenzamos a caminar rumbo a la salida del camposanto sin pensar, sin decir nada, sólo escuchando el rebote de la lluvia en los sombreros, en las lápidas, en los charcos. No podía dejar que la enterraran así, incompleta, dice Pascual, pero el sonido de sus palabras se diluye en el torrente y, muy dentro de nosotros, se confunde con la letanía atropellada que se repite en el eco de una sentencia inapelable. Nunca ya sus muslos estrangulando la cintura. Ni la mirada de sus ojos limpios. Ya no sus movimientos de serpiente de piel tibia. Ni el jugo de su boca. No. Ya jamás su aroma de toronja espolvoreada con sal. Sólo la nostalgia y la soledad. Nunca más Macorina.

Bajo la mirada de la luna

◆

*Ahora volvemos a caminar. Y a mí
se me ocurre que hemos caminado
más de lo que llevamos andado.*

Juan Rulfo

Una nube cubre el ojo solitario de la luna y quienes van adelante se
disuelven de un borrón al tiempo que me cae encima una losa de
cansancio, carajo, como si la luz amarillenta de hasta hace unos segundos me hubiera estado dando fuerza para continuar y ahora su
ausencia hiciera surgir los calambres: un temblor punzante me presiona el chamorro y disminuyo el paso en tanto los ladridos de los perros
del rumbo, no los nuestros, se quedan atrás, apagados, semejantes al
tamborilear lejano de unos matachines, señal de que todos, incluso los
de la retaguardia, abandonamos las proximidades de la zona poblada
para meternos al llano donde serán otros animales los que nos ace-
chen; aunque quizá esos últimos ladridos ya no eran ladridos, sino el
resonar de nuestros pasos en el silencio, cientos de pies machacando
los granos de arena recalentados por el sol durante el día, levantando este polvo fino que adivino rojizo, arcilloso, cuando se convierte en
cristal molido entre las muelas y me enloda la saliva y lo escupo con
rencor, igual que si te escupiera a ti, Ramsés; nunca entendí por qué
te llamas Ramsés, será porque eres del desierto, o porque tus padres te
destinaban a guiar multitudes: somos muchos, a pie o en las carretas
tiradas por burros famélicos que no tardan en volverse comida para los
más jodidos, o trepados en bicicletas y triciclos, o en los dos únicos camiones que se deshacen en lamentos de animal enfermo con su carga
de ancianos, embarazadas, escuincles, heridos y quienes ya no pueden
andar esta noche que creímos sería nuestra noche y quedará como la
del gran fracaso porque te equivocaste, porque hubo un error en tus
cálculos y nos llevaste al sacrificio como quien lleva una recua de mulas a un rastro clandestino, ¿por qué?, quisiera preguntarte el hombre
a mi izquierda, o aquella gorda que apenas puede y se retrasa a cada
paso, pero en esta oscuridad no te miran, vas muy lejos y entre noso-

75

tros se atraviesan demasiados cuerpos, espaldas vencidas, siluetas con la cabeza gacha bajo el peso del sombrero por esa flaqueza que dejó en ellas la esperanza frustrada, los sueños rotos, ¿por qué, Ramsés?, tú eres el líder, deberías saberlo.

Porque llegó nuestro momento, dijiste al bajar de aquella tarima improvisada que te habían armado los hermanos González. Está todo listo. Esos terrenos siguen ociosos y llevan años en litigio, así que el alcalde no va a molestarse en defenderlos. Lo sé de buena fuente. Me lo aseguraron en el partido. Hasta parecía que aún no bajabas del estrado: tu tono era de discurso político, repartías sonrisas y apretones de brazos y hacías con los dedos la ve de la victoria como si estuvieras enmedio del gentío que minutos antes te ovacionaba. ¿Entonces mañana?, preguntó Roque y tú lo miraste despacio, con cierta burla bajo esas tus cejas tejidas en peluche. ¿No le quedó claro, compañero? Mañana, en amaneciendo, salimos a llevar a cabo la invasión. Mañana, y recalcaste las sílabas con tono triunfal, vamos a fundar nuestra propia colonia. Basta de estar arrimados en la Rodolfo Fierro. Aunque los camaradas se han visto generosos, necesitamos espacio propio. Al pronunciar estas palabras miraste alrededor en espera de un nuevo vitoreo, pero nomás quedábamos junto a ti Roque, Herminio Zertuche, la Beba y yo, tus incondicionales. Los demás habían corrido a las viviendas donde les daban arrimo a alzar sus bártulos y armar sus petacas. No querían que los sorprendiera la hora de la mudanza con el equipaje a medias. Entonces, al verte sin público, fijaste la mirada en el rostro de la Beba. ¿Cómo ve, compañera? ¿Qué se siente estar a punto de vivir en un chante para usté sola? Ella se acercó a ti, te pasó el brazo por el cuello, repegó su cuerpo al tuyo y te dijo al oído con suficiente voz para que los demás oyéramos: Y se lo debemos a usté, mi líder, a ver cómo le hacemos luego pa corresponderle. Yo preferí voltear hacia las casas cercanas. La Rodolfo Fierro hervía de trajín. Quienes partían lo hacían contentos pues su anhelo de poseer un terrenito con jacal propio se iba a cumplir; los que se quedaban porque se quitarían de encima la monserga de los arrimados. Aquello parecía hormiguero. Hombres y mujeres cargaban bultos de ropa, muebles, ollas, sacándole la vuelta a los montones de chatarra, a las llantas huérfanas que desde el suelo miraban las alturas con su enorme cuenca vacía, a las pilas de ladrillos, a los perros famélicos cuya cola no paraba de agitarse entre tal movimiento. Los niños perseguían gallinas en el suelo erizado de varillas, alambres y latas oxidadas con el fin de encerrarlas en huacales. Hasta los ancianos andaban alebrestados y pastoreaban puercos con sus bordones, mientras los vecinos contemplaban el trajín en cuclillas, a la sombra de sus tejabanes, gargajeando y escupiendo sobre la tierra yerma. Quienes tenían bicicleta o bestia de montar las aprontaban para la marcha, y un grupo de señoras gordas con sus infaltables canastas se fue arrimando a la avenida a esperar los camiones de redilas que llegarían de madrugada. A partir de otro día, la vida pintaría distinto. Te alejabas con la Beba del brazo rumbo a la casa que te prestaban desde hacía meses, cuando se te acercó Rubio, el líder de la Rodolfo Fierro. Oiga, compadre, ¿y ya se le ocurrió nombre pa la nueva colonia? Yo tengo una propuesta, se adelantó la Beba sobándote el lomo como si fueras su caballo favorito en una carrera. ¿Qué tal si le ponemos el apelativo de su fundador?, preguntó mirándonos. Colonia Ramsés Cantú... suena bien, ¿no? Roque rio y dijo sí varias veces con la cabeza, Herminio enseñó los dientes y yo no hice nada. Fue tu humildad fingida la que rechazó la idea. No, nada de nombres propios. Ni de revolucionarios ni de mártires de la izquierda que nadie conoció. Nuestra colonia es la tierra prometida y se va a llamar Paraíso, ¿qué no? Paraíso, repitió la Beba para sus dentros, me gusta. Pos no se hable más, concluiste dándonos la espalda en tanto acariciabas la cintura de la Beba con un manoseo despacioso en el que tus dedos a veces bajaban en busca de las nalgas. Tus últimas palabras sonaron mochas por la calentura, o a lo mejor nomás porque nos llegaron deshilachadas en el aire sin que te viéramos la boca: Vamos a aprontarnos, mañana es el día.

Pero ahora es noche y nuestros pasos apesadumbrados restallan al raspar el tepetate mientras la luna poco a poco se desprende de la nube que la cegaba y vuelve a darle forma definida a este ejército de muertos vivientes, eso somos, hombres y mujeres en apariencia enteros cuando por dentro se les murió hasta el resuello, ¿no lo piensas así, Ramsés?, ya te distingues, puedo contemplar cómo tu espalda se vuelve un punto luminoso entre las sombras como si te iluminara por dentro el martirio de esta gente, no sé, será a causa del sudor que brilla en tu camisa o a que la luna también te descubrió y centra su luz en ti, vas encorvado, amontonado entre tus huesos, escuchando el gemir de tus músculos como única expresión de la derrota, disminuyes el ritmo y hago lo mismo, no me interesa caminar cerca de ti, me atraso y miro cómo pasan Octavio y Cristiana con aspecto de haber sido rotos a mazazos hasta desmoronarse, llorosos, sí, esas sacudidas de hombros no pueden ser sino accesos de llanto, seguro se acuerdan de que hace apenas unas horas sonreían a pleno sol y le decían a quien quisiera oírlos que iban a construir la mejor casa del Paraíso, bonito nombre, ¿se te ocurrió, Ramsés, con el fin de recordarles a estas personas que saldrían del infierno adonde ahora regresan?, Paraíso: un paraíso terrenal a la medida de tus ambiciones y de las esperanzas de tu gente, a la medida de los deseos del pobre Julián, quien me rebasa con cara de no querer acordarse de que él iba a resguardar el orden en la nueva colonia, voy a ser la ley, decía, el mero jefe de cachuchones, me lo prometió Ramsés, pero ahora se aleja cabizbajo, vigilando sus pies para no caer en un agujero de serpiente, un paraíso al gusto de los hermanos González, quienes habrían de trazar las calles y repartir los lotes según el tamaño de la lealtad del colono hacia su líder, y no dudo que el nombre se te haya ocurrido cualquiera de los ratos que pasaste en brazos de la Beba, hundido en su cuerpo hecho para huir de los problemas y aflojar las tensiones, de esa Beba que habría sido la encargada de conseguir alumbrado público, agua y pavimento, pero en este instante deambula con traza de haberse arrojado llena de furia a una batalla en la que por poco pierde la vida, mírala, Ramsés, vagando enmedio de este ruido de pisadas continuas semejante al arrastrarse de un pesado vientre por el suelo, acaso piensa que las redondeces de su cuerpo y esa su capacidad para dar placer van a desperdiciarse a partir de hoy en hombres mediocres, sin el poder de otorgar permisos ni concesiones ni títulos de propiedad, hombres como tú y yo: un oscuro secretario de comité y un líder caído en desgracia que jamás podrá levantarse de nuevo y se quedará en el piso sin que nadie se acerque a ofrecerle una mano, como en aquella ocasión me acerqué yo.

¡Déjelo, comandante!, grité y me interpuse entre los dos. Tú gemías en el suelo con la cara manchada de tierra y sangre, respirando con dificultad por el dolor. Fonseca jadeaba a causa del agotamiento. Aun así, intentó hacerme a un lado para arrimarte otra patada, pero me planté firme y no pudo moverme. Entonces tronó. ¡Quién chingaos te crees, Contreras! ¡Quítate! ¡A mí ningún pinche madrina me va a impedir ponerle una chinga a un rojillo! No me aparté y el siguiente puñetazo fue directo a mi rostro. El pómulo se me llenó de piquetes de insecto, mi vista se enturbió y sentí que caía, mas en ese momento un bofetón impidió mi derrumbe. Fonseca se había olvidado de ti, Ramsés. Concentraba en mí su rabia, y si no me tumbó de inmediato fue porque había gastado sus fuerzas contigo. Sin embargo, no es hombre que suspenda las cosas a medias. Al verme aún en pie, paró de golpear con los puños, sacó su escuadra del sobaco y me sorrajó cachazos hasta que me vine abajo. ¡Nomás eso me faltaba, hijo de tu chingada madre! ¡Que me salieras traidor! Cortó cartucho y me encajó el cañón en la frente. Nunca supe si el gemido salió de mi garganta o de la tuya, lo único que recuerdo es el agujero de la pistola, negro como la boca del infierno, que parecía estar vivo y olfatearme en el aire antes de soltar el plomo. Yo había visto a Fonseca matar. Apreté los párpados. Pensé en la muerte. Y la muerte venía cargada de rumores, pasos presurosos, amenazas, gritos. Al abrir los ojos vi que el comandante se retiraba despacio, pistola en mano, temeroso de tus camaradas que venían a la carrera desde los linderos de la Rodolfo Fierro, saltando bardas y esquivando construcciones en tanto agitaban garrotes y cadenas de bicicleta por encima de la cabeza. Ni se te ocurra volver a la comandancia, pinche traidor. Donde te vea te mato, dijo Fonseca mientras abordaba la patrulla. Arrancó justo antes de la llegada de tu gente. Te alzaron del piso en andas y ya te regresaban a la colonia cuando les ordenaste que me recogieran. ¿Recuerdas, Ramsés? Ese hombre me salvó, dijiste, y a pesar del dolor tu voz brotó autoritaria. Pero Ramsés, dijo alguien cerca de mí, este tipo es judas, yo lo he visto con los otros. No importa, tráiganlo. Luego las palabras se me disolvieron en un dolor de cabeza y no supe más.

    ¿Dónde están quienes te levantaron esa tarde?, ¿dónde va Herminio, dónde Federico, dónde Melchor?, a Roque lo vi hace un rato por la entrada del llano, iba mentando madres a los cuatro vientos, amenazaba a los perros de la lejanía, pateaba a los que vinieron con nosotros y echaba espumarajos por la boca, mira, Contreras, me dijo al pasar, esos cabrones me rompieron toditito el hocico, y me mostró la palma de la mano donde traía tres dientes, ¡qué diferencia con la mañana de hoy!, entonces Roque se cargaba un escándalo de chiflidos y buenos deseos, se acercaba a los demás y les palmeaba la espalda, sonriente, con sus dientes completos, pero el día se fue en un suspiro, se desvaneció en las tinieblas como si los acontecimientos lo hubieran fulminado, y ahora no sé dónde anda Roque, se habrá subido a un camión con los heridos, ahí viene Federico, camina con zancadas largas como buscándote, Ramsés, me rebasa, ya va al frente, esquiva un puerco perdido y se aleja siempre tras de ti, ¿se atreverá a reclamarte?, ¿al menos a pedirte una explicación?, no creo, ha crecido al amparo de tu sombra y se contentará con lo que le digas, así son estas gentes, no tienen nada y por eso se aferran a lo que les ofrecen, así sean miserias; Roque aun sin sus dientes sería capaz de seguirte a la cárcel o hasta a la misma muerte, como los González, como Herminio, ¿como la Beba?, quizá, quizá no, Herminio, por fin lo escucho, va detrás de mí, me alcanza mas no se detiene, al contrario, acelera furioso alejándose en unos cuantos trancos y allá va, enorme y soberbio, nada provoca una impresión de soledad tan clara como un gigante que camina entre enanos, qué solo está Herminio, parece un ánima en pena que jamás descansará, seguro ya piensa en otros predios, en la próxima invasión, cómo luchó hoy, cómo se defendía y te protegía de las macanas de los azules, de los bates de los porros, con diez hombres así, duros y arrojados, sin miedo a nada, habrías conquistado ese pedazo de desierto, Ramsés, te habrías cubierto de gloria igual que un general o un rey al frente de sus tropas, lástima que tu ejército esté formado por puro muerto de hambre, puro pobre de espíritu, borregos a quienes el hambre y el sudor de la frente les diluyeron hace muchos años la rebeldía y las ganas de pelear, ancianos, mujeres grises, bruscas, hurañas, cuyas manos sólo sirven para extenderse pidiendo limosna, con este contingente lo único que podías alcanzar es la debacle, el retorno al infierno donde otros menesterosos nos harán la caridad de prestarnos un rincón para convalecer de las heridas.

Tras la golpiza, desperté en una vivienda minúscula con paredes de lámina, alumbrada por una lámpara de gas en torno de la cual revoloteaba una nube de moyotes. Sobre el piso de tierra, liso por el constante roce de pies descalzos, huaraches y botas industriales, se amontonaban varios hombres y mujeres. El bochorno sofocaba y nos derretía en sudor. Mis heridas lucían vendajes sucios. Tus camaradas me escrutaban con desconfianza, hasta que apareciste tú, también lleno de curaciones, y por un segundo imaginé que no eras sino mi reflejo paseándose por aquel cuarto. Inició el interrogatorio. ¿Por qué andas de madrina? Quería ser judicial, pero no se me va a hacer; usted oyó al comandante. ¿Cómo te enrolaste con Fonseca? Me recomendó un compañero de la facultad. ¿Cuál facultad? Derecho. ¿Eres abogado? No, no terminé el séptimo semestre. Luego te informé que las órdenes de Fonseca consistían en hostigarte, meterte miedo, porque de arriba había venido el pitazo de que organizabas gente con miras a una invasión. No tenían idea de qué predio ibas a expropiar, sólo de que andabas en eso, y decidieron solucionar el problema antes de que fuera imposible pararte. Eso lo sabías. Estabas preparado para agresiones como la del comandante. Lo que te interesó de mis palabras fue que yo conocía de leyes y podía serte de utilidad. Entonces me ofreciste un puesto en el grupo, dentro del mero comité. Al notar mis dudas, pues nunca me interesó la política, y menos ubicarme del lado de quienes siempre pierden, me hablaste de los baldíos que habías descubierto por el lado del desierto, cerca del Bravo, a unos pasos de los gringos. Me dijiste que dirigías a cientos de familias oriundas sobre todo del sur, migrantes devueltos del gabacho que deseaban probar suerte en la maquila. Mencionaste tus contactos dentro del partido, tu amistad con líderes sindicales y tus planes para ir ganando mayor presencia en la ciudad. Presencia de la que da poder, de la que con el tiempo nos puede llevar hasta el mero palacio municipal, y de ahí en delante nadie nos para, compañero, fueron tus palabras. Al paso de los días, en tanto nos recuperábamos de los golpes de Fonseca, me seguiste insistiendo. Cuando al fin acepté la secretaría del comité, lo hice porque me habías convencido de que el futuro junto a ti no pintaba nada mal.

La luna se coloca de nuevo el parche en el ojo y vuelvo a perderte, otra vez se oyen ladridos: son nuestros perros escandalizando, carajo, uno pasa a la carrera y me roza las corvas con su costillar saltado, ¿o fue un marrano?, las piernas no me dan, Ramsés, si no fuera porque al frente, todavía lejos, alcanzo a distinguir la telaraña de focos de una colonia me tumbaría en la arena a descansar aunque haya víboras y escorpiones y ratas, ¿sería una víbora lo que enfureció a los perros?, no puedo verlos pero escucho su enjambre rabioso de gruñidos y dientazos, cuánto furor, allá corren varios hombres, gritan en la oscuridad y sus alaridos liberan la impotencia, ¿dónde vas, Ramsés?, ¿dónde vas, Beba?, seguro los dos traen la cabeza hecha bolas, los pasos sin brújula y los recuerdos girando veloces, tú, Ramsés, piensas cómo hallar de nuevo ese camino empedrado de triunfos rumbo a las alturas, la ruta que imaginabas llena de luz con su pavimento recién puesto y dos hileras de mansiones a los costados, semejante a esas avenidas que nacen en la zona de los ricos y desembocan en el centro de la ciudad, un camino luminoso, no este desierto negro sin senderos por donde nos movemos a duras penas igual que procesión de enfermos y tullidos en pos de su santo patrono, cualquiera que nos mirara evocaría las columnas lastimosas que peregrinan a Espinazo para pedirle mercedes al Niño Fidencio, nadie pensaría en los paracaidistas que hasta hace unas horas marchaban orgullosos al asalto de la tierra, impulsados por las voces de quienes nos dieron asilo estos meses, no, nadie pensaría eso, ni siquiera ahora que hombres y perros se persiguen, se arremolinan y enseguida se disgregan entre gritos y maldiciones como si estuvieran linchando a su líder.

¡Vamos, hombres!, se desgañitaban las mujeres de la Rodolfo Fierro, ¡a conquistar la tierra! Era tal nuestro entusiasmo que ni siquiera disminuyó al ver que de los camiones prometidos por tus amigos sindicalistas sólo habían llegado dos. La caravana se hallaba dispuesta. Como en un desfile militar, cada uno ocupaba su sitio en el arranque de la marcha. Al frente, tú, Ramsés. Aunque la caminata duraría horas, llevabas una pala en la mano para poner con ella la primera piedra de la colonia. Ese gesto me gustó. Es parte de la teatralidad de un dirigente. Faramallas así han hecho que la gente se entusiasme contigo y te siga adonde sea. Procuraré aprendérmelo. Un poco atrás íbamos Herminio, Roque y yo. Los hermanos González se habían rezagado. ¡Es hora de que el pueblo agarre lo que a los ricos les sobra!, gritaban los hombres repitiendo tus consignas. ¡Vayan por ese predio, camaradas! Tanto me excitaba ese torrente de euforia que no reparé en la ausencia de la Beba. Nos sentíamos igual que los bisabuelos al ir a partirse el alma en la revolución por el mismo motivo: un pedacito de tierra. Pero nosotros íbamos sin armas, nomás con unos cuantos palos y otras cuantas herramientas para apuntalar los primeros tejabanes. Dejábamos la Rodolfo Fierro y los pasos redoblaban en la avenida ante la curiosidad de los mirones, cuando la Beba nos dio alcance y se te colgó del brazo, sudorosa, con una sonrisa llena de promesas en el rostro. Era temprano, el calor aún no rabiaba. Los edificios altos del centro nos ocultaban el sol, sumiéndonos en una sombra engañosa. La gente a los lados de la calle nos animaba y aplaudía como si supiera a dónde y a qué íbamos, mientras nosotros oíamos el ritmo firme de los pasos y nuestra respiración acompasada, regular. Cruzamos parques industriales ahogados en las emanaciones de las maquilas y, en tanto los gritos animosos de los mirones se volvían escasos, pasamos el puente de un río sin agua para doblar por un camino periférico, pues habías decidido dar un rodeo para no alertar demasiado a las autoridades. El sol subía, sus rayos nos zumbaban en la oreja igual que voladero de moyotes, pero nos sentíamos fuertes, llenos de ambición. De pronto desembocamos en los dominios del desierto. Los perros que hasta entonces trotaban en orden cerca de sus dueños se lanzaron a correr por la arena, a olfatear chaparros y chamizos, a buscar víboras y ratas. Los puercos también quisieron desbalagarse, pero los amos los encarrilaban a bordonazos. Nos pegaba en plena cara la brasa del sol, y a lo lejos se oía de vez en vez el sisear de los torbellinos. La ciudad se alejaba despacio. Las áreas pobladas por las que pasábamos eran colonias de paracaidistas similares a la que fundaríamos. El desierto arrojaba su vaho sin olores en lengüetadas secas y el bochorno nos hacía entornar los ojos al sentir pulmones y sangre llenos de aire caliente. El sol había descrito ya la mitad de su arco y, al fondo del llano, el Bravo lucía inmóvil en su cauce atestado de moscas, intensificando el remolino áspero del calor. Pero yo no tenía ojos para ese paisaje monótono y familiar. Veía a la Beba, Ramsés, los veía a ustedes dos. A ti abrazándola. A ella toda oronda de caminar bien amarradita del mero chingón. Por la manera en que clavaba la vista en ti al oír tus palabras, supe que te había dado cobijo entre sus piernas durante la noche entera hasta ponerte pando de satisfacción y de orgullo y de esa vanidad inflada que cualquier hombre precisa para acometer las grandes empresas.

No, no están linchándote, se trata de un triste tlacuache, los veo ahora que la luz de la luna logra filtrarse a través de la nube y sacando fuerza de la curiosidad aprieto el paso y avanzo adonde se amontonan hombres y perros, todos miran a ras del suelo como si se disputaran un balón de futbol, patean, algunos perros reciben patadas y chillan y tiran tarascadas al aire sin atreverse a morder, sí, es un tlacuache, corre aterrorizado entre decenas de piernas humanas y mandíbulas caninas, lo golpean y cae y enseguida vuelve a levantarse para seguir su huida, además de coces, los tipos más sádicos le lanzan garrotazos, lo insultan, se desquitan del rencor que les inspira el mundo, Herminio se suma a la persecución, empuja a los demás, se abre paso y consigue centrar a la bestia hundiéndole en el vientre una patada que lo hace volar varios metros, se desploma con un sonido bofo y de su interior sale un chirrido agónico que me pone los pelos de punta y se impulsa apenas a tiempo para esquivar los colmillos de un perro enorme, ¿por qué no dices nada, Ramsés?, ¿por qué no detienes esta carnicería?, ¿no eres su líder?, no te veo entre los perseguidores, ni más allá, la luna no alumbra bastante, sus rayos sólo alcanzan para distinguir cómo el tlacuache sale otra vez disparado por un pie certero, ¿habrá sido de nuevo Herminio?, y gime y solloza con su vocecilla de roedor cuando ya no puede ponerse en pie y los demás le caen a pisotones igual que si se tratara de uno de los agresores de hace rato, un uniformado o un judicial o un porro, no se mueve ya y sin embargo vuela porque otro puntapié levanta el cadáver del suelo y cae de nueva cuenta adonde los perros furiosos se lo disputan arrancándole los miembros, descuarti-zándolo antes de largarse cada uno con un trozo de carne en el hocico, carajo, cuánto odio hay en ellos, Ramsés, cuánta desesperación, cuán-to resentimiento, cuánta saña, carajo, carajo, carajo, asusta, da mucho miedo la posibilidad de caer bajo ese rencor, ¿no lo sientes, Ramsés?, sí, por eso no te veo, debes estar lejos de estos salvajes y de sus perros para que no se les vaya a ocurrir seguirle contigo luego de hacer garras al tlacuache, lejos, igual que la Beba, a distancia los dos del estallido de furia, la Beba, mientras vaga entre estas sombras a la deriva, ha de ir piense y piense que más le habría valido quedarse en segundo pla-no en vez de andar paseándose con el líder, cocoreando la lujuria de los machos y la envidia de las mujeres, porque después de un fracaso esa lujuria y esa envidia se transforman en muina, lo sabes, ¿verdad, Beba?, por eso ya sin el aura dorada de ser la favorita del mero mero procuras pasar junto a la gente sin ser vista; para que no te señalen y digan miren, ai va la güila esa, la cabrona que le reblandeció los sesos a Ramsés a fuerza de puterías, la que lo engatusó con el fin de distraerlo de sus obligaciones, por eso pasó lo que pasó, por eso debemos regresar, por eso los sueños hechos polvo y este cansancio y el dolor dentro del pecho que no nos deja nada aparte de las ganas de matar, carajo, pobre Beba, tú tan joven, tan bonita y ahora con el peso de esta responsabilidad para siempre, más te habría valido no andarle buscando los alebrestes a Ramsés, más te habría valido quedarte junto a mí.

Aquella noche, en tanto la esperaba recordando las últimas semanas, pensaba en ti, Ramsés, que me la habías presentado. Mira, Contreras, quiero que conozcas a la nueva camarada. Se va a sumar al movimiento para hacerse cargo de las gestiones con el municipio. Tiene experiencia y desenvoltura. Hola, dijo la Beba y al saludarme retuvo mi mano en la suya. Mucho gusto, me encantará trabajar contigo. Desde el primer momento adiviné que se trataba de una arribista. ¿Tú no, Ramsés? No, tú no te dabas cuenta de nada. Te sentías muy por encima de los demás y aceptabas la adulación como elogio sincero a tu labor y a tu personalidad política. Por eso al principio los halagos de la Beba no te hicieron mella, los considerabas normales, semejantes a los del resto de tu gente. Ella entonces ideó el modo de llegar a ti a través de otro. Por medio de Herminio, imposible: a él le sobran las viejas y la Beba hubiera sido una más. Los hermanos González no tienen tiempo para mujeres, sólo piensan en construir y desmontar. Roque es medio pendejo y ella se hubiera evidenciado. Quedaba yo, y hacia mí enfiló sus baterías. No supe cómo caí en sus insinuaciones ni por qué olvidé la opinión que tenía de ella. Tú lo habías dicho, es desenvuelta y experta en gestiones. Me atrajo rápido a su piel y me dejé conducir sin pensar mucho en el asunto. Vivimos en pareja un par de meses, durante los cuales supe que en verdad vale la pena la lucha si en ella hay mujeres así. Tú advertías mi expresión de macho enculado y se te alborotaban los entresijos de envidia. La Beba me hablaba de ti siempre con respeto y simpatía y yo te pasaba al costo sus comentarios con los cuales te engordaba el orgullo sin imaginar que todo era producto de sus cálculos. Constituías su objetivo al ser el líder. El secretario de comité nomás servía de peldaño en la subida. Estabas a punto de morder su anzuelo, donde yo fui el cebo, y no escatimó mañas para el último asalto. Una madrugada llegaste a buscarme porque querías revisar unos documentos y ella, que nunca dormía, saltó de la cama y te abrió casi desnuda. Cuando levanté los párpados lo primero que vi fueron tus ojos recorriendo su cuerpo a la luz de la lámpara de petróleo. Te entretenías en sus pechos plenos calcándose en el camisón y sonreíste nervioso al fijar la vista en el triángulo negro entre sus muslos. Ay, qué pena. Déjeme taparme, mi líder, dijo con falso pudor. No sé qué hago poniéndole enfrente mis miserias. Tú murmuraste una disculpa cortés mientras ella se echaba un vestido encima y yo me ponía los pantalones. Después saliste conmigo con aire de indiferencia, pero yo comprendí que no podrías olvidar el cuerpo que acababas de entrever y que en ese instante había nacido algo entre tú y ella. Días después la Beba empezó a desaparecerse con frecuencia y a volver tarde a nuestro cuarto cada vez con pretextos más absurdos. En eso pensaba aquella noche, cuando por fin la vi acercarse al cantón. ¿Y ora tú? ¿Dónde anduviste todo este rato? Aunque lo sabía, pues ella no era hembra para esconder su voluntad, tuve que preguntarle, reclamar, representar el papel de marido celoso. Llevo cuatro horas esperando y ni tus luces. La Beba masticó varias veces el chicle que le inflaba el cachete. Abrió la boca, sacó la lengua para dirigirlo y lo escupió. Comenzó a hablar y sus palabras vibraron lentas, oscuras. Mira, Moy, vine a decirte que lo que había entre nosotros no da pa más. Ya me aburrí de ti, la neta. Y pos, ¿pa qué andar con hipocresías, no? Mejor que ai muera. Me quedé mudo, enmedio de un temblor larguísimo. No es que la quisiera. No. Apenas me estaba acostumbrando a ella. Pero cómo me gustaba. De verla así, con ese gesto entre distraído y triste con el que hablaba, empezó a correrme un cosquilleo en las tripas. Sin embargo nada hice en tanto ella envolvía sus trapos en una sábana y guardaba sus papeles en una caja de cartón. No sentí coraje, ni dolor. Nomás ganas. Deseo frustrado. ¿Te vas con Ramsés, verdad?, le pregunté al verla alejarse. Sí y no. Voy a vivir sola para gozar mi libertad, aunque a lo mejor lo voy a estar viendo. Tampoco te odié a ti, Ramsés. La vida es así y punto.

La matanza del tlacuache les quitó el aliento, caminan despacio, con pasos inseguros y cortos, arrastrando la arena, algunos de plano se detienen con una pierna engarrotada e intentan flexionar la rodilla sin éxito, a estas alturas, con el alumbrado de la colonia cada vez más cerca, con ladridos aún lejanos ahuyentándonos o dándonos la bienvenida, después de quince horas de caminata falla el resuello de los pulmones, los músculos se entumen, los ligamentos se tensan, caen los huesos en una indiferencia cruel y arden las plantas de los pies, sangran los descalzos, cojean quienes usan botas, nunca resulta tan pesada la marcha como al divisar el destino, algunos hacen un último esfuerzo y aceleran, pero en unos metros vuelven a desfallecer, las bicicletas y los triciclos se nos emparejan con gemidos de cadenas mal engrasadas, el rumor de los camiones se acerca, detrás de nosotros queda una inmensa, monótona sucesión de accidentes, enfrentamientos, huidas, decepciones, estallidos de cólera, kilómetros de arena convertidos en sudor y cansancio, al frente sólo hay frustración y la vergüenza de suplicar acomodo en algún rincón ajeno, una carreta llena de mujeres y niños rechina a mi lado, miran al cielo donde las nubes buscan mejores horizontes dejando en libertad la luna redonda y las estrellas titilantes, constelaciones cuyos nombres ignoran y no les marcan ninguna ruta, no prestan atención a los crujidos de los muelles rotos, ni a ese bamboleo agudo de las ruedas carcomidas por la intemperie y cientos de cargas de chatarra y cartones viejos, ni a las mulas que continúan su andar en un trance sonámbulo, sigo la carreta un buen trecho y me envuelve una sensación de quietud casi verdadera, su avance es tan lento que parece flotar, y no obstante se arrastra y abre surcos en la arena enmedio de una atmósfera de sueño, con un vaivén caótico de rechinidos que de vez en vez obliga a las mulas a sacudir las orejas, me detengo agotado y la contemplo alejarse con una parsimonia desesperante hasta que primero se confunde con el desierto y después desaparece entre las sombras, nadie habla, todos usan el aire que les queda para dar unos pasos más y ganarle otro kilómetro a la arena, me sorprendo al descubrir a Ramsés a mi lado, su caminar es sonámbulo, semejante al de las mulas, ha sumido la cabeza para siempre, sus ojos deben estar huecos, como si oyera voces del pasado o no pudiera concentrarse sino en el fluir de su sangre: lo único en decirle que sigue vivo, has perdido el valor, Ramsés, tu voluntad se quebró, no te resta nada, tampoco a la Beba quien ahora se te acerca, camina en silencio junto a ti y luego señala con la mano hacia donde ya se distinguen las primeras casas de la Rodolfo Fierro, llegaremos a la colonia no por la avenida, sino por atrás, por la orilla entre la ciudad y el desierto, no respondes, Ramsés, y la Beba insiste en consolarte, de pronto se estira y planta un beso sonoro en tu cara, cerca de los labios, enseguida disminuye el paso y deja que te adelantes, mas tus zancadas son parcas y temblorosas y ella debe permanecer quieta unos minutos para perderte de vista.

¡Éste es el paraíso!, gritaste de cara a la multitud tras arribar adonde el desierto se une al río Bravo. ¿Para esto nos afanamos tanto?, preguntó una voz con desilusión. El paraje lucía desolado. ¡Ahorita no hay nada, compañeros! ¡Pero es nuestro! ¡Lo vamos a llenar muy pronto de casas, calles pavimentadas, tuberías y postes de luz! ¡Es nuestro!, repetías viendo cómo varios hombres y mujeres se contagiaban de tu entusiasmo. El sol quemaba con rabia tal que parecía haberse venido abajo al tiempo que el cielo se echaba hacia atrás perdiéndose en el infinito. El Bravo desparramaba entre nosotros ese tufo de humedad, de lama estancada y pudrición que de inmediato hace pensar en tierras fértiles y abundancia. El olor excitó a los puercos. Gruñían estremeciéndose e intentaban meter el hocico en la tierra seca. Los nuevos colonos exploraban el arenal, primero tímidos, luego con cierta confianza, tanteando el terreno cuyos límites eran dos picachos escarpados. En el centro del predio había dos cabañas grandes con hoyos en el tejado y muros de troncos carcomidos. Por lo menos los niños y los viejos no dormirán al aire libre, dijo una mujer al verlas. Con el fin de evitar la dispersión, la Beba hizo señas llamando a la gente a tu alrededor. Ora sí, mi líder, te dijo. Cúbrase de inmortalidad. Es hora de la inauguración. Ponga la primera piedra y saque unas palabras de su ronco pecho. ¡Arrímense! Hubo chiflidos y aplausos. Herminio se acomodó aína a tu derecha, quizás imaginando cámaras y flashes. Los hermanos González y Roque hicieron acto de presencia. Yo me ubiqué junto a la Beba y vi que se hacía notar mucho. Con el rostro colorado por el calor y la emoción, manoteaba llamando a los demás, te señalaba y reía con una risa de niña en fiesta de cumpleaños. Sin embargo, tanto sus aspavientos como su expresión sugerían un nerviosismo agudo, como si ya conseguidos sus propósitos no supiera cómo manejar el triunfo. Tú estabas igual de tenso y emocionado y eufórico y sonriente, satisfecho de haber conducido a esa multitud con bien a la tierra prometida. Alzabas la pala que desde el momento de salir traías en la mano para que todos la vieran. Después aspiraste hasta llenar tus pulmones con el olor del desierto, y ya ponías semblante solemne para echar tu discurso cuando te interrumpieron un griterío y un tropel de pasos. Eran los porros. Aparecieron de la nada.

La Beba se demora como si no deseara llegar al mismo sitio de donde salió por la mañana, sin embargo tú continúas por un sendero cada vez más difícil, lleno de piedras, Ramsés, una inercia resignada te empuja las piernas, primero la izquierda, enseguida la derecha, con ese caminar angustioso de las bestias erguidas sobre sus patas traseras que no puede durar mucho, sólo faltan unos cuantos metros, los camiones y carretas se han rezagado, quizá recogiendo a los que no pueden moverse, o a lo mejor porque los burros, las mulas y los motores acabaron por dar de sí y desde hoy pasarán a formar parte del paisaje como cascarones de chatarra y esqueletos descarnados en el desierto, un poco más, casi llegamos, ya se delinean bajo los faroles que hacen palidecer las tinieblas algunas siluetas de vecinos, allá brilla una falda roja en el marco luminoso de una puerta, seguro están sorprendidos, no esperaban nuestro retorno, creían haberse librado de la carga y ahora observan desde lejos la columna con ojos iracundos, impotentes ante las reglas de la solidaridad entre menesterosos que los obligan a ayudar a los camaradas en desgracia, qué diferencia con la mañana de hoy cuando en sus caras se notaba el alivio, en fin, será por pocos meses, se dirán, nomás mientras invaden otro predio o se deciden a volver al pueblo del que llegaron, no hay mal que dure, y ahí va Herminio Zertuche a retomar la vanguardia junto a su líder, y los hermanos González, la Beba sigue distante, yo también, falta Roque, quien sin sus dientes ha de andar deambulando entre la arena y los peñascos, y damos los últimos pasos en tanto más vecinos se amontonan en los límites de la colonia como si fueran a presenciar un desfile, llevan escobas y paliacates en las manos… no, no son escobas, son palos, garrotes similares a los de los porros del Paraíso y cadenas de bicicleta como las que una vez nos salvaron del comandante Fonseca, Ramsés, y no salen a vernos llegar: están formando una valla de protección, no van a permitir que entremos a su colonia de nuevo, Ramsés, Dios, qué cansancio, no puedo moverme, tú tampoco, ninguno del grupo, y ellos están en pie de guerra, ya vienen hacia nosotros con Rubio a la cabeza, chocan contra las primeras filas, se ensañan con hombres y mujeres inválidos, carajo, indefensos, sin fuerzas, agotados hasta el límite de la existencia, de nuevo truenan los garrotazos igual que hace unas horas, silban las cadenas otra vez mientras allá en el fondo, entre las chozas de la Rodolfo Fierro, giran las torretas rebanando la oscuridad de la noche jadeante, ululan las sirenas y yo, como tú, Ramsés, como Herminio y la Beba, agradezco al cielo por primera vez en la vida la presencia de los uniformados.

Se había soltado un torrente de aire que levantaba arena del suelo y nos la arrojaba a los ojos. Los porros habían salido de las cabañas blandiendo bates, mas eran pocos para un contingente como el nuestro. Los hombres los enfrentaron, unos a puño pelón, otros armados de herramientas. Las mujeres les mentaban la madre, les ponían zancadillas o se les colgaban de los cabellos. Tú dirigías la batalla, Ramsés, rodeado por tus incondicionales. Si un porro conseguía acercarse, los González agitaban sus martillos o Herminio se lanzaba sobre él hasta derribarlo o hacerlo correr. Parecía que el pleito se iba a inclinar a nuestro favor. No hay conquista sin un poco de sangre derramada, decías seguro de la victoria. Pero tu rostro se torció al escuchar los motores y las sirenas, al ver los autobuses, granaderas y patrullas que venían levantando nubes terregosas y espantando a los animales. Luego refulgieron al sol decenas de cascos, caretas protectoras y escudos antimotines. Eran muchísimos. Esto valió madre, murmuraste con los ojos en el suelo y los puños apretados. No fue necesario ordenar la retirada. En cuanto alzaste la vista te diste cuenta de que las carretas y los camiones de redilas reculaban al desierto, seguidos de las bicicletas y los niños que huían despavoridos. Comenzamos a correr cuando ya teníamos a los azules encima. Herminio se debatía entre varios. Roque tropezó y los macanazos llovieron sobre su cuerpo. Estallaban granadas de humo. Los González, la Beba, tú y yo enfilamos hacia la frontera igual que si planeáramos escapar al otro lado. Caímos en el río como en las entrañas de un animal muerto. Había tanto calor y tanta mosca y tanta basura en el agua que nos preguntamos si no estaríamos muertos también. Al salir nos hundimos hasta el tobillo en un zoquetal espumoso. Del otro lado de la malla, en el gabacho, unos güeros de traje y lentes oscuros contemplaban el desalojo en compañía de los agentes de la migra. Cabrones, dijiste al verlos y enseguida continuaste la huida por la orilla del río. Tras unos minutos supimos que nadie nos perseguía. A la distancia aún se escuchaba, muy difuminado y no obstante claro, un rumor de zafarrancho cada vez menos nutrido. Cubiertos de lama e inmundicias de la cabeza a los pies, rodeados de moscas zumbantes, sentimos en la boca amarga el picor de la derrota. Hay que reunir a la gente, dijo la Beba. Tú veías el otro lado del Bravo, Ramsés, las tierras indiferentes de los gringos, y en tu mirada vidriosa adiviné el impulso cobarde que rondaba tu cabeza. Luego nomás resollaste. Sí, no nos queda más que regresar a la Rodolfo Fierro, y tu voz se escuchó como el siseo del aire al desinflarse un globo.

Los azules están terminando al fin de sofocar la batalla campal, se llevan esposados a los vecinos más pendencieros y suben a Rubio sin esposas en una patrulla, acaso para convencerlo de que apacigüe al resto de su gente, enseguida permiten el paso de los socorristas de la Cruz Roja quienes recogen a los moribundos en camillas y los conducen a las ambulancias, ¿habrá muertos?, ojalá no, aunque con el borbotón de saña del que hicieron gala nuestros anfitriones no lo dudaría, yo traigo chichones y una que otra cortada, pero tú, Ramsés, quedaste hecho una verdadera piltrafa, quién hubiera dicho que tu compadre Rubio enviaría a los más cabrones de su grupo directo contra ti, ora sí ni el mismo Herminio Zertuche pudo protegerte, en cuanto lo intentó fue a dar contra los peñascos del suelo y ahí los agresores se dieron gusto con él, luego lo dejaron desmayado, babeando sangre, y se enfocaron en ti, Ramsés, meticulosos, igual que si estuvieran siguiendo órdenes precisas, cómo retumbaban los chingadazos en tu cuerpo, cómo crujían los huesos, las costillas, eran golpes en seco, sin quejas pues ya no tenías adentro ni ruido ni aire, yo contemplaba la golpiza a unos pasos, inmóvil, tratando de pasar desapercibido, y sin éxito buscaba entre las sombras a la Beba, vi caer a uno de los González cerca mas no estaba dispuesto a meter las manos por nadie, la gente de tu compadre cumplió su encomienda contigo durante un rato que se me hizo eterno hasta que los agentes los dispersaron, entonces tres de ellos se vinieron sobre mí, el único de nosotros que se mantenía vertical en muchos metros a la redonda, y nomás agaché la frente esperando los madrazos, pero en eso se acercó un sargento con dos granaderos, ¡ya estuvo suave!, dijo, ¡cálmense o los remito!, los otros titubearon, es uno de los del comité, mi jefe, es el secretario, no importa, dijo el sargento, ni se les ocurra tocarlo, esto ya se acabó, regresen a sus casas, los granaderos me agarraron, uno de cada brazo, y vi cómo antes de ponerte en pie dos uniformados te daban más golpes, para que aprendas que con el municipio no se juega, pendejo, dijo uno de ellos, muy líder, ¿no?, muy chingón, ¿no?, ¿no sabías que en los terrenos que según tú ibas a invadir se va a instalar otro parque de maquilas?, y no se hubieran detenido si no aparece el comandante Fonseca, ¡pérense, cabrones!, ¡no lo vayan a matar!, debe llegar vivo al Ministerio Público, ésas fueron las órdenes, te levantaron y entre varios te jalaron rumbo a la colonia, no te movías, Ramsés, tus pies arrastraban entre las piedras como arados removiendo la tierra, pero a causa de la falta de luz en ese instante no alcancé a ver tu rostro, esa desgracia sanguinolenta que contemplo de lejos ahora y me avergüenza, se me abre un hueco en el estómago mientras los policías pasan de largo las ambulancias con el fardo que eres y discuten con los socorristas que pretenden trasladarte a un hospital hasta que éstos se cansan de insistir, luego te avientan como bulto de cemento en la caja de una granadera y entonces sí sueltas un quejido largo, de moribundo, que se ahoga cuando el chofer prende el motor y el vehículo arranca rumbo al centro de la ciudad, todo ha concluido, Ramsés, de tu sueño sólo restan jirones, doy media vuelta para contemplar por última vez el campo de batalla, el camino del desierto donde aún hay hombres tirados que reciben ayuda de socorristas y mujeres, donde las carretas y los dos camiones de redilas esperan más carga antes de convertirse en sombras a la deriva, y mi vista se cruza con la Beba en el interior de una patrulla, el comandante le soba el cuello con una mano y un acceso de ira me calienta la sangre en los brazos, camino hacia ellos, la otra mano de Fonseca le acaricia una rodilla y las sienes me palpitan, hijo de puta, pienso justo cuando a través de la ventanilla abierta se escucha la voz del comandante, no sabe cómo la extrañé, mi alma, ah, mire quién está aquí, el mismísimo

Moisés Contreras, ¿se conocen, no?, la Beba me ve y sus ojos reflejan culpa y una vergüenza idéntica a la que sentí minutos antes, y cuando Fonseca baja sonriente de la patrulla y me palmea el hombro y susurra buen trabajo, Contreras, te espero mañana en la judicial para darte tu parte, lo único que puedo hacer para no verme reflejado en la mirada de la Beba es imaginar tu rostro desfigurado en esa granadera que va quién sabe a dónde, Ramsés.

En lo que dura una canción

◆

Las arrugas de Montero casi desaparecen al crisparse su rostro, luego se acentúan, envejeciéndolo de más por unos segundos, antes de desvanecerse de nuevo. Ha de ser la canción que anunciaron, se dice Regina en tanto lo observa desde el otro lado de la mesa. Le choca. Además odia a la cantante. De seguro ahorita se levanta y apaga el radio. Pero en lugar de ponerse de pie el hombre aprieta los puños. Sus ojos se angustian cuando las bocinas del aparato desparraman las estridentes ofertas de una tienda departamental. Ya me hace falta una plancha nueva, piensa Regina, y enseguida cuestiona a su marido con la vista. ¿Te sientes mal, viejo? No lo pregunta en voz alta porque se lo impide un repentino endurecimiento de los hombros. Sus músculos se tensan, gimen en silencio dentro de la piel. Todavía lo quiero. Es inútil negarlo. Y su mente se repite una y otra vez que sí, lo ama con un odio seco, rasposo, que ni siquiera a rabia llega, mientras los acordes de la canción anunciada atestan la cocina de agujas sonoras, despliegan sus vibraciones entre platos y tenedores, lastiman los tímpanos y ahogan el murmullo atorado en la garganta de Montero.

La tensión muscular alcanza entonces la espalda baja de Regina. Se le enrosca de manera alarmante en la columna en tanto contempla cómo el hombre manotea desesperado en torno a la corbata hasta que consigue aflojar el nudo con el gancho de un dedo. Estás mal de veras. No es nomás un ahogo, la mujer se sorprende a causa de la serenidad de sus pensamientos. No. Es tu corazón. Un ataque. Sí. Los manotazos del hombre le parecen lentísimos, como si en vez de ser síntomas de dolor fueran los ensayos de una pantomima. La cantante del radio entona los primeros versos de una balada y Regina los tararea sin darse cuenta al posar la vista en los nudillos pálidos de su marido. Una ligera punzada le palpita en el pómulo, justo donde el último moretón terminó de desaparecer esta semana. Su estómago se contrae, las sienes le laten con fuerza, mas ella no se mueve. Montero emite un gruñido y Regina no lo escucha. Toda su atención se centra en los cambios de color en el rostro del hombre, que va del rojo profundo al amarillo y de ahí al blanco. No me vayas a dejar sola, viejo. ¿Qué haría sin ti? Él tose, un hilo viscoso cuelga de su boca, los ojos se le hinchan acuosos, inclina el tronco en la silla como si alguien lo empujara con ímpetu. No te caigas. Aguanta, mi amor. A pesar de estas palabras que articula y escucha dentro del cráneo con claridad, una parte del cerebro de Regina permanece ajena a su alarma, dando forma a las frases que ha repetido tantas veces durante las últimas tres décadas: Lo odio, pero lo amo. Debo quererlo. Es mi obligación. Es el padre de mis hijos. Entonces hay un atisbo de reacción en ella y sin moverse de la silla calcula en cuatro o cinco segundos el tiempo que tardaría en correr hacia su marido para auxiliarlo, en diez u once lo que le llevaría alcanzar el frasco de píldoras en el primer estante de la despensa, en unos veinte lo que demoraría en colocar un vaso bajo el grifo de agua. Apoya las manos en la mesa con el fin impulsarse, mas la visión de unos grumos de saliva espumeando entre los labios del hombre la paraliza: se trata de la misma saliva que destila al llegar borracho, la que empezó a surgir de la boca de Montero cuando ambos dejaron atrás los años de juventud, la que mastican sus dientes durante sus arranques de ira, la que todavía hace un tiempo, de vez en vez, le untaba en los pechos y en el cuello al momento de tallarse contra su piel. La vocalista grita en las bocinas algo acerca de cambiar de amor y Regina se pregunta cuándo esa secreción dejó de anunciar deseo para convertirse en anticipo de violencia. No da con la respuesta. Aparta la mirada y la fija en el radio.

Hace un esfuerzo por escuchar la letra pero le resulta imposible. Conoce la canción, la ha oído decenas de veces, ha coreado sus proclamas con entusiasmo, recuerda incluso que en cierta estrofa la vocalista deja de cantar y se arranca con un discurso que siempre le ha puesto la carne de gallina, y sin embargo ahora algo le impide comprenderla. Será que los compases de la música se mezclan con los ruidos sordos que emite el hombre en su lucha por no perder el equilibrio. Es inútil, mi amor. De cualquier modo vas a acabar en el piso. Y los cientos de caídas de Montero desfilan entonces en la pantalla de su memoria, y cada una le provoca una sensación específica entre el rencor y el miedo, entre la ternura y la lástima, entre el asco y la vergüenza. Regina aprieta los párpados. Se frota las sienes. Intenta concentrarse en la música. En cierto momento logra visualizar a la vocalista, tal y como la ha visto en televisión, y siente que sus músculos se relajan un poco: se trata de una diva que entusiasma a las señoras pero suele irritar a los hombres. Montero y sus amigos se refieren a ella como "la puta esa que necesita un macho con muchos pantalones". Sí, es ella. La Lupita. Regina sonríe. ¿Oyes, viejo? Mira quién vino a cantarte en tu despedida.

Abre los ojos y se encuentra con un decrépito rostro de anciano que expresa impotencia, súplica, terror, todo junto, y al mismo tiempo odio ante su indiferencia. Te estás muriendo, querido. ¿Lo sabes, verdad? Lo mira con curiosidad mientras murmura para sí: Por fin. De inmediato la culpa la atenaza. No. No puedo pensar así. Es mi esposo ante Dios. Le debo respeto, consideración. Gira la vista hacia las píldoras en el estante y vibra de nuevo en ella el impulso de ponerse de pie, mas la voz de la vocalista, recorriendo varias escalas en un solo verso, atrae su interés. Ahora el canto habla de sufrimientos causados por un hombre y los tonos altos son un lamento furioso que retumba en los oídos de Regina. Se pregunta por qué está tan fuerte el volumen y recuerda que fue Montero quien giró la perilla hasta el tope para acallar sus palabras cuando ella le decía que el mayor de los hijos se había metido en un problema. Suspira con resignación. Clava una mirada interrogante en esa máscara grotesca que cada vez se parece menos a su esposo. ¿Por qué eres así? Pedro sólo necesita un poco de ayuda. Como tú ahora. Montero abre la boca aunque no consigue llevar aire a sus pulmones. Se oprime el pecho con esas manos grandes y rudas que Regina conoce tan bien. ¿Por qué, mi amor? Nunca amaste a tus hijos. Admítelo. Por eso cuando huyeron de ti no hiciste nada por retenerlos. No te importó dejarme a mí huérfana de ellos. Estamos mejor solos, decías, porque no deseabas testigos de tu conducta. La súplica se intensifica en el rostro del hombre. Ella se encoge como si quisiera desaparecer. Enseguida un sobresalto la sacude con violencia al ver que el cuerpo de Montero se inclina demasiado, se balancea un par de veces y se viene abajo con una lentitud exasperante, crujiendo en el suelo como si se rompiera por dentro mientras la silla cae con un chasquido y en las bocinas del radio la vocalista se desgañita con su discurso contra los hombres.

Por Dios. Esto no debería ser así. Regina recuerda cuántas ocasiones soñó el deceso de su marido, mas en sus sueños Montero moría tranquilo en su cama, después de una larga agonía, atendido por ella hasta el instante final, y no tan de repente, en lo que dura una canción y con el radio a todo volumen. Cierra los ojos y sacude la cabeza una y otra vez para eludir la escena, pero un silbido extraño se suma a la música obligándola a abrirlos de nueva cuenta. El viejo está tumbado sobre su brazo izquierdo. Tiene amoratada la piel del rostro. Tose a medias, carraspea. La inercia de su peso lo hace dar un giro hasta quedar bocarriba y, entonces, un silbido distinto al anterior, débil y tortuoso, anuncia que su garganta se ha vuelto a cerrar.

La vocalista ha concluido su diatriba en el radio y entona por última vez las notas del coro. A Regina la invade una sensación de pánico. Atisba el bulto de su marido entre brumas, pues las lágrimas le humedecen los ojos. Se levanta de un salto, mas en cuanto advierte que Montero aún trata de respirar se deja caer en la silla. Ya muérete, mi amor. No sufras. En el pómulo le palpita un recuerdo doloroso y se lo acaricia con las yemas de los dedos. Recorre de un vistazo las píldoras en el estante, el grifo que gotea, los vasos recién lavados en el escurridor del fregadero. Le tiemblan las manos. Siente náuseas.

Con el estómago revuelto escucha la última tirada de voz de la cantante y, en tanto el tono y el volumen de la música comienzan a decaer, su memoria proyecta una rápida sucesión de imágenes donde reconoce escenas de su vida en común con Montero. Cuarenta y cinco años de casados. Instantes de goce y sufrimiento, de angustias y satisfacciones compartidas, de entrega absoluta y de dolor: Montero abrazándola, golpeándola con saña, celebrando eufórico el nacimiento de un hijo, mirándola con deseo, orgulloso de ser su dueño. Fuimos felices, dice Regina en alto y su voz emerge trémula. Algunos días. Sí.

La canción ha terminado. Las bocinas callan durante un segundo. La mujer se pone de pie con dificultad, pero sus movimientos se aceleran en cuanto el locutor emprende una perorata sobre la siguiente melodía. De un manotazo Regina agarra el frasco de píldoras, luego corre al fregadero, llena a medias un vaso y regresa hacia su marido.

Montero tiene los ojos muy abiertos, inmóviles, fijos en el techo, pero su cuerpo todavía se sacude con los últimos estertores. Ella le separa los labios, desliza una píldora entre ellos y luego vierte un poco de agua que se mezcla con la saliva casi seca. El hombre no se mueve.

Entonces Regina lo abraza con suavidad, une su rostro al de él y un enorme vacío dentro del pecho la hace sollozar mientras repite una y otra vez en un susurro: No me dejes sola, mi amor. No me dejes sola.

Los santos inocentes

◆

Una gota de agua estalló en la superficie terrosa arrebatando a Carmen Guerrero de la modorra en que la habían sumergido las plegarias a su alrededor. Abrió los ojos. Los ires y venires continuaban en el camposanto entre la luz difusa de un sol que se adormecía del otro lado de las nubes. El viento hacía papalotear las guirnaldas de papel de china, los manteles sobre las tumbas, las estampas de santos con nombres en desuso, las fotos amarillentas; esparcía por todos los rincones el aroma de los manjares enredado en el tufo aceitoso de las veladoras. Aún se escuchaban risas, música, llantos y letanías. Carmen alcanzó el tequila y tomó un trago. Tosió. Se limpió la nariz con la manga de su vestido negro. Después volvió a cerrar los ojos y a abrir los brazos para tallarse contra el sepulcro, untando los pechos a la losa en un esfuerzo por arrancarle un poco de calor.

Sabía que abrazaba una tumba sin nombre, olvidada igual que tantas en aquel panteón. Pero qué podía hacer, si su muerto se encontraba unos pasos más allá, en compañía de la viuda y los hijos. Cuando llegó, dos horas antes, vio cómo los niños acomodaban las ofrendas dirigidos por la madre, y cómo, al terminar, los cuatro se sentaron sobre el mármol a comer entre sonrisas igual que si se tratara de un día de campo. Ellos no lo echaban de menos, como Carmen, a quien su ausencia había hundido en el desamparo. Nomás a mí me dueles, Manuel, dijo desde lejos y dio media vuelta para no ser advertida por María de los Ángeles. Deambuló un rato por los andadores, sin prestar atención a los altares que los deudos erigían a sus difuntos. De la base de un nicho solitario recogió la botella y, dándose un poco de valor con cuatro tragos rápidos, desanduvo el camino. Al toparse con la tumba abandonada cayó de rodillas para murmurarle sus reclamos, su rencor y su desesperación a ese desconocido cubierto de piedra.

Las lágrimas de Carmen escurrían a la lápida y formaban grumos de lodo que se le adherían a las mejillas. Por unos minutos dejó de recordar a Manuel: la memoria se le había agotado. Veía los pequeños remolinos que el polvo levantaba al enroscarse con su aliento, cuando otra gota se desprendió de lo alto para caer a unos centímetros de su nariz. Enseguida otra y otra. Alzó rostro y vista al cielo: las nubes se habían cuajado hasta ennegrecer y ahora se desgajaban en goterones que al venirse abajo moteaban la tierra con lunares cada vez más prietos. Qué raro, si nunca llueve, y Carmen ya no pudo pensar porque un trueno cimbró el camposanto dando paso a la tormenta.

Familias, grupos de amigos y dolientes solitarios se desbandaron rumbo a la calle como si temieran que los muertos salieran de las tumbas a causa de una inundación. Sólo Carmen aguantaba impasible los embates del aguacero. La luz de las veladoras se extinguió dentro de los vasos de cristal. Los platos de carne asada, barbacoa y mole pronto se llenaron de un caldo grasoso. El pan de muerto y las tortillas se reblandecieron hasta quedar hechos una sopa. Nada más las botellas seguían en su sitio, inalterables, en espera de la presencia de aquellos a quienes habían sido ofrendadas. Desde la tumba sin nombre Carmen Guerrero miró a los rezagados persignarse con una rodilla en tierra en señal de despedida antes de correr en busca de un techo, y en cuestión de minutos quedó a solas con la lluvia, escuchando los susurros apagados que reptaban bajo las lápidas.

Dios aún está enojado con nosotros no nos ama le parece poco nuestro infierno esta carga de ser semejantes a topos y lagartijas y encima nos obliga a soportar la soledad el abandono la negrura reseca de un sepulcro estrecho durante todo el año y para qué ¿para enviarnos ahora el castigo del agua que se cuela por cada una de las rendijas y nos tortura impidiéndonos salir? un año entero esperando esta noche: el banquete preparado con devoción el vino que alivia la ansiedad del olvido la fiesta capaz de devolvernos un poco de alegría... no nos ama ni nos ha amado nunca prefiere ignorarnos para que acabemos de pudrirnos sin que nadie nos recuerde por eso nos condenó a tumbas sin cruz y sin nombre a criptas con aspecto tan cruel que provocan temblores en la gente ante la posibilidad de acabar en una de ellas pero nosotros al huir del mundo dejamos de ser gente no somos nada... ya se marchan la tormenta acalló la música los cantos los rezos se acabaron los consuelos queda sólo la esperanza de salir a buscar un poco de placer mas con el aguacero es difícil no pensar que nos disolveremos en la lluvia como calaveras de azúcar... ¿por qué no nos perdonas? ¿no es suficiente para ti que llevemos esta vida de insectos sepultos en tierra? ¿por qué no paras la tormenta que nos impide abandonar estas covachas y vivir nuestra noche?

Empapada hasta el escalofrío, Carmen miraba el camposanto en penumbras a través de la cortina de lluvia: todos se habían ido; los familiares de Manuel entre los primeros. Caminó con paso incierto sobre la tierra transformada en plasta hasta que sus pies pisaron la dureza de un andador de cemento. Avanzó en contra de la tormenta, sintiendo cómo el agua se filtraba a la intimidad de su piel desatándole una serie de estornudos. Cuando estuvo junto al sepulcro de Manuel barrió con el brazo los platos de comida, los muebles en miniatura y dejó en pie un par de botellas de vino. Éstas nos las vamos a tomar los dos, solitos, como antes, dijo y se echó de cuerpo entero encima de la losa.

Manuel la había dejado sola seis meses atrás cuando, después de estar con ella hasta el amanecer, se dirigía a su casa y su auto fue embestido por una camioneta gringa, viejísima, cuyo conductor era un obrero borracho que celebraba su retorno triunfal del otro lado. Murió en el acto, sin tiempo de nada pero sin sufrir. Estuviste junto a mí tu última noche, le dijo Carmen al mármol, por eso eres más mío que de ella. Bebió un trago e intentó construir en la imaginación un velorio al que no había asistido porque María de los Ángeles la conocía, sabía de las relaciones entre ella y Manuel y hubiera llamado a uno de sus hermanos para correrla en cuanto se presentara en la funeraria. Difícil ocultar un amorío como el de ellos en una ciudad tan pequeña, aislada por el desierto. "Vuélvete a tu pueblo", le decían las amigas de María de los Ángeles al encontrarse con ella, "aquí nadie te quiere." Pero Carmen no iría a ningún lado. Aquí estaba Manuel y ella permanecería cerca.

Después de casi una hora de azotar con furia el camposanto, la lluvia languideció. Se convirtió en llovizna, sin viento. Carmen se soltó de la tumba de Manuel. Tenía frío. Su borrachera se había estancado con la lluvia, y el alcohol que le hacía olas en el estómago no llegaba a calentarle la sangre. La soledad comenzaba a plagarse de rumores acuáticos, borboteos, rechinidos de madera al hincharse, pero debajo de estos sonidos se distinguían otros, profundos, de tierra removiéndose, uñas

103

que arañan piedra, suspiros largos. El panteón cambiaba de aspecto: un tono ocre licuaba el aire inmóvil. La oscuridad había encapotado las tumbas y sólo dentro de ciertos mausoleos continuaban encendidas unas cuantas veladoras. La sombra de un personaje esculpido en el muro de una cripta se agitó y Carmen esquivó la vista. La posó en la placa con el nombre de Manuel Talavera en tanto tomaba otro trago de tequila. Enseguida se recostó de nuevo sobre el mármol para refugiarse en el recuerdo de Manuel, tratando de no hacer caso de los murmullos que, por momentos, crecían en torno suyo hasta ponerla a tiritar.

Todo cuanto poseemos es un agujero y la noche de un día durante el año: noche resplandeciente de risas y sabores y tragos y calidez y compañía y festejo eso y la tierra que se finge protectora para curarnos de la ausencia de recuerdos de esta memoria ciega incapaz de decirnos algo de nosotros mismos tierra de cementerio que nos cobija aunque no sepamos nuestros nombres ni cómo ni cuándo ni por qué llegamos a ella tierra que a diferencia del mundo nos reconoce y acepta porque sabe que somos unos inocentes que creímos que nuestra estancia aquí sería momentánea y sin embargo transcurren las semanas y los meses y los años y seguimos haciéndole compañía a las lombrices y las ratas en sus entrañas que no se cansan de absorber cuerpos nuevos para cubrir sus huecos... pero pronto partiremos sí un día como hoy borrachos de entusiasmo hartos de alegría en busca de un lugar mejor que éste donde ya no caben todos los muertos que vomita el mundo alguna noche quizá ya señalada porque además de nuestro trozo de tierra lo único que podemos atrapar con manos y mente es la fecha probable de nuestra fuga la fecha del alivio final que vendrá cuando queden atrás los dolores las penas y todas las carencias y sólo podemos acariciar la certeza de que ese día llegará si vivimos con intensidad esta noche: la de la fiesta la de la orgía que cada año por una sola vez nos despierta la piel los apetitos la lengua el olfato los ojos... pronto pasará la llovizna y la vida nos aguarda afuera.

La humedad recrudeció el calor. Emergía de la tierra, que no necesitaba del sol para evaporar sus excedentes de agua, tejiendo un ceñido sudario de niebla entre los sepulcros. Carmen ahora transpiraba mientras la tarde en que conoció a Manuel aparecía nítida en su memoria. ¿Pa qué cruza la frontera, mhija?, le había dicho. Si quiere trabajar, no necesita seguirse de frente, aquí mero yo la ocupo en la pizca de algodón. Se quedó a disgusto, pues estaba acostumbrada a la vegetación abundante, no a aquel paisaje yermo en donde debía caminar cientos de metros para toparse con un árbol. Contuvo un sollozo y sus palabras surgieron a manera de plegaria sin volumen, un susurro monótono, como si Carmen Guerrero supiera que del otro lado de la losa Manuel arrimaba el oído para escuchar su confesión. Mas nunca tuve una mota de fibra blanca entre los dedos, decía, porque siempre aseguraste que en la pizca las manos de mujer se vuelven una desgracia y tú las querías suavecitas para sentir mis caricias en el cuerpo. Sonrió al advertir un rumor debajo del mármol. Estaba segura de que Manuel era de esos hombres que jamás terminan de consumirse, porque si lo hicieran consumirían también a quienes estuvieron cerca de ellos. Lo imaginó abriendo los ojos, revolcándose en el ataúd igual que los nonatos en el vientre de su madre al reconocer una voz amada. Después sintió miedo. Sí, había escuchado un rumor, pero no dentro del sepulcro de Manuel sino afuera, atrás.

Pisadas. Parecían pisadas. Carmen giró la vista y sólo vio tumbas en silencio, la blancura de las estatuas fúnebres; más allá, las siluetas de los mausoleos trazadas con tiza negra contra el fondo de la noche. La luna se debatía en el cielo para vencer la barrera de las nubes y un haz plateado se abrió paso hasta caer en el cementerio. Intranquila, Carmen pegó de nuevo el rostro a la losa que encerraba los despojos de Manuel Talavera, pero un rastrillar en el piso semejante al de las hojas empujadas por el viento la hizo levantar la cabeza. Temblaba. Agotó el último sorbo de tequila y estrelló la botella en la tumba vecina. El cristal reventó y el ruido se mantuvo vibrando en la quietud por espacio de varios segundos. Ella rio. Estoy borracha, Manuel, dijo con los ojos fijos en la placa. Primero creí oír voces, después pasos, ahora no sé ni qué oigo. Cogió una de las botellas de vino. A la bruja de tu mujer se le olvidó el sacacorchos, ¿en qué estaría pensando? Luego recordó el altar, las ofrendas, y se arrodilló junto al sepulcro a buscar entre las cosas que había tirado.

Mientras palpaba el lodo, a cada instante erguía la espalda y miraba alrededor intentando escudriñar lo profundo de las sombras. Creía descubrir movimientos en los claroscuros de las esculturas, en el interior de las criptas donde pequeñas luces parpadeaban entre la bruma, en los huecos donde las manchas de oscuridad se amontonaban. Percibía el crepitar del silencio: un siseo sordo, continuo, semejante al de los organismos que crecen despacio desde la nada. El corazón de Carmen golpeaba duro, con un tamborileo que arrojaba su ritmo desquiciado al exterior. En cuanto la amargura proveniente de las entrañas le llegó a la boca, supo que debía levantarse y encontrar la salida, que quienes habitaban el camposanto reclamaban la noche para ellos, y si descubrían su presencia no podrían contener el asco y el horror ante su aroma de mujer viva, llena de sangre en las venas. Arrastró una rodilla en el suelo y el dolor que le produjo la punta del sacacorchos la hizo olvidar sus temores. Me estoy volviendo loca, rio de nuevo, esta vez con una risa falsa. Qué cosas se me ocurren, Manolo, dijo mientras con manos ansiosas despojaba la botella de su capucha para encajar la espiral en el corcho. Estoy muy borracha. Bebió a grandes tragos dejando que el vino tinto borrara de su lengua el sabor de la hiel y de su mente las ideas absurdas.

La oscuridad ha caído por completo ya se fueron los hombres comienzan a arrastrarse las lápidas se animan los moradores de las criptas es preciso recoger las ofrendas de los deudos emborracharnos hasta la carcajada y el llanto y alcanzar la histeria que nos quite de creer que la inmovilidad y el sueño nos librarán de los sufrimientos de afuera de las persecuciones de los peligros de la vida y no de la muerte pues la muerte no tiene significado para nosotros porque el temor a morir sólo tortura a quienes son dueños de algo y nosotros nomás contamos con un pedazo de tierra o un nicho o una plancha vacía dentro de un mausoleo y con esta noche para olvidarnos de nuestros trapos en jirones de los trozos de pan tieso que disputamos a las ratas de los platos tazas fotos cajas de música inservibles boletas de calificaciones de los hijos de otros estampas de santos martirizados que recogimos en años anteriores y del agujero compartido con un esqueleto que se ha vuelto entrañable pero sobre todo para olvidarnos de este nuestro miedo a existir que nos mantiene ocultos alejados del mundo... ya salen los demás afuera nos miraremos a los ojos sin reconocernos sin recordar los nombres que no tenemos porque no nos hacen falta nos abrazaremos unos a otros para cantar la tonada que persista en la memoria y quizá la luna nos traiga de regreso un rostro familiar un paisaje al sur de tierras más amables que nos haga llorar un recuerdo imposible de revivir y después muchas horas después cuando cerca del alba el banquete haya terminado y no quede ni una gota de vino en las botellas regresaremos a nuestro refugio para iniciar de nuevo la cuenta de los días hasta el próximo noviembre.

Sus propios temblores y el latigazo de la tos en la columna vertebral interrumpieron la duermevela de Carmen. Soñaba con las manos de Manuel en un recorrido a través de su cuerpo, con los labios de Manuel enganchados a su boca, con las palabras de Manuel jurándole por Dios y todos los santos que jamás la dejaría sola, que siempre estaría junto a ella, aunque volviera a morirse otra y otra vez. En alguna parte del sueño fue presa de la inquietud porque ese hombre no se mostraba amoroso, nomás reía enmedio de un entrechocar de vasos, vítores y silbidos, y ella tuvo la impresión de ya no estar soñando, de que aquello que se le internaba en los oídos procedía del exterior. Váyanse, dijo y se cubrió el rostro con las manos en busca de la imagen esquiva de su amante. Mas la tos que ahora le abría senderos de fuego en los pulmones la despertó a una realidad donde se hallaba a la intemperie, con las mejillas y el cuello muy calientes. No importa, dijo casi sin voz. Mejor si muero. Así estaremos juntos para siempre.

Tensó los músculos y tomó impulso con el fin de ponerse en pie, aunque sólo logró sentarse sobre el mármol. Las nubes se habían ido a otro cielo. Una luna llena, rotunda y espléndida, argentaba en relieve el camposanto donde cientos de sombras se retorcían en una danza descompuesta. El dolor que trepanaba el cráneo de Carmen le provocaba alucinaciones y se frotó las sienes y la nuca. No encontró la botella: había rodado al lodo. Al agacharse para recogerla perdió el equilibrio y se fue de bruces. Jadeaba. La fiebre era una coraza que inmovilizaba sus miembros, la hacía castañear los dientes y le oprimía el pecho. No me dejes, Manolo, susurró y con esfuerzos gateó unos centímetros hasta alcanzar la botella. Aunque casi todo el vino había escurrido, aún quedaba suficiente para enjuagar las encías y aliviar aunque fuera un poco el ardor de garganta. Después de beber se acurrucó junto al sepulcro de su amante, apretándose las rodillas, tratando de contener los temblores del cuerpo.

Entonces las vio. Las siluetas brotaban de cualquier rincón bajo la luz de la luna. Acercaban el rostro a las lápidas para examinar las ofrendas y enseguida las engullían. Arrancaban los corchos a mordidas y dejaban caer el licor dentro de sus bocas. Carmen se replegó aún más contra el sepulcro, y de su pecho surgió un gemido continuo. Ya no temblaba, sus huesos se habían paralizado. Con ojos muy abiertos veía el ir y venir de las sombras que se paseaban entre las tumbas ahora ya muy cerca de ella. Podía distinguir sus semblantes resecos, los movimientos torpes de esos cuerpos rígidos que parecían haber olvidado la capacidad de desplazarse, los harapos desteñidos al grado de confundirse con la tierra. Olió sus efluvios agridulces de carne corrupta. El ruido de las lápidas al arrastrarse le erizaba la piel, le retorcía los entresijos obligándola a morderse las mejillas y la lengua para no gritar. No quería que se dieran cuenta de que estaba ahí, tiesa de pánico, contemplando aquel banquete.

Manolo, Manolo, Manolo, Manolo, repetía en voz baja con la intención de sofocar en sus oídos aquellas risas semejantes a chillidos de rata que el alcohol había desencadenado por todo el camposanto, los coros de cantares disonantes, los eructos de satisfacción. Sin embargo, al no encontrar consuelo en sus palabras, Carmen las cambió: Protégeme, Dios mío, por favor. Imposible cerrar los ojos y apartar de sí la visión de esos seres que no eran de este mundo, aunque su aspecto los asemejara a los hombres y las mujeres. Rengueaban de tumba en tumba y emitían sonidos animales al masticar con fauces abiertas los guisados, al lamer los pedazos de pan que se deshacían entre sus dedos antes de que pudieran llevárselos a la boca. Uno de ellos llegó a merodear las ofrendas en el sepulcro contiguo y sus ojos se posaron en la mujer sin verla, como si su mirada la traspasara. Tomó un pedazo de carne asada y lo alzó a la altura de su nariz. Lo olisqueó despacio, saboreando su aroma, antes de desgarrarla con una dentadura negra sin que por un segundo sus pupilas dejaran de enfocar a Carmen.

No soportó más. Expulsó el pavor acumulado en un alarido que no hizo sino llamar la atención de los espectros y emprendió la huida a rastras por el fango, tropezando con las tumbas, arañándose manos y rodillas con las yerbas espinosas crecidas entre las piedras. Lloraba con gemidos entrecortados mientras en su mente invocaba una y otra vez el auxilio de los cielos. Las siluetas la seguían de cerca, con andar vacilante, una botella o parte de una ofrenda en las manos, murmurando entre dientes palabras que ella no entendía. Urgida por el miedo, se apoyó en una cruz de granito para levantarse y correr, pero su carrera la había llevado a la zona del camposanto en donde se hallaban las tumbas de los ricos. Perdió de vista a sus perseguidores y, con el corazón preso de un dolor agudo, tomó aire en un claro rodeado por mausoleos. Su llanto había mudado a un hipo apenas perceptible. El sudor se le desprendía de la piel y bordaba su vestido de sal. Las piernas pronto se negarían a mantenerla en pie.

Buscó con la vista un refugio seguro. La puerta entornada de una de las criptas era una ruta de fuga y caminó hacia ella. La empujó y un redoble largo y agudo le dio la bienvenida. A la luz de las veladoras, Carmen vio tres planchas de concreto, dos de ellas ocupadas por féretros antiguos. La tercera tenía un petate extendido y los hilachos de una cobija hechos bola, como si alguien acabara de desenredarse de ella. Un frasco de aguardiente, dos o tres colillas de cigarro, una lata de sardinas y un crucifijo junto a la pared completaban el decorado. A pesar del penetrante olor a orines y madera podrida que se desprendía de él, aquel lecho ejercía una poderosa atracción. Carmen lo acarició con la mano. Qué cansada estoy, Manolo, dijo con la vista nublada. ¿Por qué no acaba todo de una vez? Hizo el intento de treparse a la plancha, mas la visión de sí misma, recostada e inmóvil, con los brazos en cruz sobre el pecho, resecándose poco a poco, le produjo un golpe de angustia que la obligó a retroceder hasta la puerta. En cuanto estuvo afuera, se topó cara a cara con aquellos seres, tan cerca que veía sus rasgos con claridad a la luz de la luna. Sonreían. Sí, le sonreían con sus tristes muecas de almas en pena que no pueden ocultar su lástima hacia quien aún padece los sufrimientos del mundo. Uno de ellos le tendió su botella, otro se quitó el pan de la boca para ofrecérselo. Carmen continuaba inmóvil, mirándolos nada más. Pero cuando uno de esos seres alargó hacia ella un par de manos huesudas perdió lo que le restaba de fuerza y se vino abajo.

Te damos gracias Señor por habernos permitido volver a vivir aunque fuera una noche por dejarnos probar un poco de tu gloria y atisbar la esperanza que nos ayudará a soportar un año más por llenar nuestro espíritu de consuelo y nuestro estómago de manjares por darnos de beber pero sobre todo por mostrarnos que esa multitud que puebla el mundo no es tan mezquina como creíamos y puede ser generosa sacrificarse entregarse en ofrendas y tributos en plegarias y recuerdos arrepentida de habernos ahuyentado de su lado sí ellos sufren también lo notamos ellos sufren junto a sus muertos se mortifican el pecho dejan salir sus lágrimas se abrazan a las tumbas como si desearan permanecer para siempre entre nosotros y nosotros queremos complacerlos... al verlos así al sentir sus sentimientos y percibir su nobleza oculta dan ganas de regresar con ellos al mundo a las ciudades a las calles atestadas pero sabemos que nomás se trata de una noche esta noche y mañana volverán a sacar las uñas a enseñarse los dientes unos a otros y si nos descubren entre ellos nos insultarán y atacarán para que no olvidemos que estamos de más... mejor quedarnos aquí bajo tierra con los insectos y las ratas con los despojos lejos y a la sombra y a salvo... la fiesta nos convirtió en hombres por unas horas pero el silencio y la soledad se hacen presentes de nuevo para que no olvidemos que Dios sigue enojado con nosotros.

El terror sentido durante el sueño la llevó a abrir los ojos de golpe. Se talló los párpados y unas luces de colores tenues danzaron frente a sus pupilas. Luego la cubrió un velo negro. Carmen creyó que la pesadilla continuaba, pero en unos instantes supo que aquel aire denso, casi irrespirable, era algo real. También el dolor que le molía el esqueleto desde los tobillos hasta la nuca, los objetos duros que se le encajaban en la espalda y esa oscuridad rota por una línea de luz cerca de sus pies. La habían alzado en vilo. Recordó la presión de decenas de manos aferradas a su carne en brazos y piernas, transportándola de un sitio a otro enmedio de exclamaciones ahogadas y risas débiles. Alguien vació en su boca un chorro de mezcal que la hizo toser. Enseguida unos dedos de sabor terroso acomodaron un poco de pan entre sus labios en lo que le pareció un extraño ritual. Pan y vino: mezcal y pan de muerto. Más tarde la habían depositado en un agujero estrecho desde donde, antes de desmayarse, Carmen alcanzó a ver cómo las estrellas del cielo se disolvían primero en una nube de polvo y después en la nada. Me enterraron, comprendió cuando el estómago comenzó a cerrársele en un nudo ciego. Me trajeron a la tumba de Manuel.

Nomás a mí me dueles. Juntos para siempre. No me dejes, Manolo. Las frases de amor eterno pronunciadas antes con firmeza le resonaban ahora en el cerebro semejantes a una sentencia. Llena de presentimientos macabros, llevó una mano bajo su cuerpo para comprobar que no se hallaba sobre el ataúd de su amante, como había creído, sino en una superficie llana. Junto a su espalda reconoció un par de botellas pequeñas, un envoltorio de papel, una cajetilla de cigarros, un santito de bulto. Me pusieron ofrendas, pensó y todas las vivencias acumuladas durante la noche se le agolparon en el pecho. Al tiempo que un grito mudo le escocía la garganta, golpeó con los puños la lápida encima de su rostro y la raya de luz a sus pies vibró hasta ensancharse un poco. No la habían sellado. La esperanza de escapar le dio más fuerza. Con rodillas y manos empujó, despellejándose la piel con las aristas del cemento sin desbastar, hasta que la losa resbaló al suelo y produjo un golpe que retumbó en la soledad del cementerio.

Emergió del sepulcro ciega a causa de la intensidad de la luz. Sus piernas inseguras resentían la nueva posición, pero sus pulmones jalaron aire puro y el aroma limpio y recalentado del desierto. No le quedaban lágrimas; debió conformarse con un suspiro hondo. En cuanto sus pupilas se habituaron al resplandor, vio que los moradores del camposanto habían elegido para ella la tumba sin nombre donde unas horas atrás rezaba por el alma de su amante. Manuel yacía cerca, apenas a unos pasos. Tú tienes a María de los Ángeles y a tus chamacos, dijo. Quédate con ellos. Y se alejó decidida a jamás volver a dedicarle siquiera un pensamiento.

Arrastró los pies con dificultad rumbo a la salida, pisando su sombra contrahecha, angulosa, coronada con una cabellera en desorden. Ante la rabia del sol, un acceso de nostalgia la llevó a recordar tiempos mejores, los de la niñez allá en su pueblo del sur, en el valle junto a un riachuelo. Con la cabeza embotada, latiéndole las venas de las sienes, miró la tierra yerma en torno suyo y no pudo reprimir un temblor súbito. Al andar sentía los pies igual que maderos hinchados, su vestido estaba cubierto de lodo blancuzco, tenía sangre en las rodillas, en las manos. Mientras pasaba por los nichos y las criptas que reverberaban de resolana, creyó escuchar susurros que proyectaron en su memoria a los seres de la noche anterior. Aquí estás a salvo, le habían dicho. Entre nosotros nada te pasará; ya nadie te va a perseguir. La imagen de sus sonrisas de dientes podridos y de esos ojos opacos mirándola tendida en un sepulcro ajeno detuvo los pasos de Carmen y aceleró el ritmo de su corazón. Éste es un refugio para quienes ya no pudimos soportar el mundo, le habían dicho. Ella volvió los ojos hacia la tumba de donde había salido unos momentos antes y un nuevo temblor le sacudió los huesos. No, es una locura, se dijo. Enseguida intentó serenarse para reiniciar la marcha.

Cuando con movimientos muy rígidos cruzaba las puertas del panteón, en la mirada del vigilante adivinó que ella también se había convertido en un espectro.

Que no sea un perfume

◆

Tras diez meses de ausencia, Gabriel Montemayor no advierte cambios en el aspecto de las calles ni de las casas de la colonia. Lucen idénticas que la última vez. Maneja absorto, guiado por una costumbre recién recuperada, como si nunca se hubiera ido del barrio, mientras en su mente se repite la escena de unos minutos atrás. El miedo lo paralizó, lo reconoce. Sin embargo, ahora se siente afortunado. No todos los días se ven cosas así, se dice. Ya tengo qué contarle a Clara. Conforme se aproxima a la casa donde sus hijos viven con Irene, su exmujer, trata de imaginar qué sentirá al verlos después de casi un año. Pero por más que lo intenta sólo consigue enfocar la imagen del limpiavidrios.

Fue al salir del centro. En uno de los cruceros más congestionados. Gabriel rumiaba su nerviosismo ante los posibles reproches de Irene, cuando vio acercarse al hombre de negro que luchaba en vano por abotonarse el saco, pues en una mano llevaba una jerga y en la otra una botella llena de agua verdosa. Un tipo flaco, pequeño, que se tambaleaba con las ráfagas de viento. Usaba una camisa oscura, delgada, y un pantalón cruzado de arrugas y lamparones que hacía juego con el saco. Los zapatos, limpios, eran de ese cuero hecho para durar toda la vida. Iba a arrojar el chisguete de agua sobre el parabrisas, pero Gabriel lo detuvo negando con el índice.

El hombre hizo una mueca y se arrimó a su lado.

—Caballero… una ayuda. Para cenar en familia…

El semáforo se eternizaba en rojo y aún había una larga hilera de vehículos por delante. Aunque cambiara a verde ahorita, no llego a la esquina, suspiró Gabriel.

—Caballero… —el hombre tocaba el cristal con los nudillos.

Gabriel bajó la ventanilla. Buscó en el cenicero. Halló cuatro monedas y se las dio al otro sin apartar la vista del semáforo. Antes de que subiera de nuevo el cristal un chiflón helado alcanzó a colarse por la ranura.

Caminó después hacia una camioneta situada en el carril de junto, unos metros atrás del auto de Gabriel. Como el chofer de la camioneta estaba distraído, el hombre sin ningún aviso se puso a tallar el parabrisas. El semáforo cambió en ese instante. Los vehículos comenzaron a moverse; primero a vuelta de rueda, enseguida a mayor velocidad. El chofer hizo una seña al limpiavidrios para que se quitara y arrancó. Gabriel vio en el retrovisor cómo el vehículo avanzaba con el hombre de negro trotando junto a él sin dejar de tallar. De pronto tropezó, se fue de boca, su cuerpo azotó contra el pavimento, rodó unos metros muy cerca de las llantas y se levantó de prisa para alcanzar a la camioneta y al auto de Gabriel que se habían emparejado en la bocacalle, justo cuando el semáforo volvía a cambiar. Aunque un hilo de sangre le escurría detrás de la oreja, roció el parabrisas con un poco de agua y continuó tallando como si nada. El chofer se deshizo en aspavientos; gritaba insultos que Gabriel no escuchaba, pero entendía. Por último, apagó el motor y bajó de la camioneta.

—¡Pinche aferrado! ¿Qué, no entiendes? ¡La acabo de lavar! ¡Me la estás empuercando!

Se trataba de un hombre corpulento, con una cabeza cuadrada de boxeador de peso completo. Siguió insultando al limpiavidrios en tanto se acercaba a él amenazante. Éste, aunque lucía nervioso, no interrumpió su trabajo.

—Perdone, caballero. Sólo quiero unas monedas. ¿Sabe? Es Navidad... mis hijos...

No terminó la frase. Con ambos brazos el chofer lo empujó contra la ventanilla del auto de Gabriel, pero no lo hizo caer. El gordo entonces lo agarró de las solapas y ya iba a soltarle un puñetazo cuando se detuvo en seco. Gabriel no se dio cuenta en qué momento había aparecido en la mano del limpiavidrios un revólver viejo, herrumbroso, como reliquia de la revolución. Sólo vio cómo el hombre del traje oscuro lo alzaba hasta la cara del otro, apuntándole directo a la nariz, y lo amartillaba con el pulgar.

—Híncate, desgraciado.

Gabriel sintió una contracción en la boca del estómago. Echó una mirada al semáforo en rojo. Luego a la avenida por donde corría un tráfico interminable. No quería ser testigo de nada, mas la atracción del arma a punto de ser disparada era muy fuerte. Miró de reojo. El chofer de la camioneta, de rodillas, movía los labios en un temblor intermitente. Pero la voz que oyó Gabriel fue la del limpiavidrios.

—Ora me vas a dar todo lo que traes, hijo de la chingada.

No vio ni escuchó más. El aire se llenó de claxonazos. Frente a él se extendía un tramo desierto de avenida. A su derecha los vehículos se pusieron en marcha y más adelante algunos invadían su carril. Pisó el acelerador hasta el fondo y se alejó sin ver los espejos.

Al cruzar frente al parque donde acostumbraba ir de paseo con Irene y sus hijos se alegra de haber comprado casa en esa colonia. Ahí no tienen cabida las amenazas de la vida urbana. Tampoco en la zona residencial donde ahora vive con Clara, en el otro extremo de la ciudad. En ambos sitios la violencia está desterrada, las calles son tranquilas, sin hombres armados limpiando vidrios en las esquinas. Sobre todo en esta temporada, cuando el espíritu navideño cuaja de esferas y luces de colores los árboles en los prados.

Se estaciona en la cochera, detrás del carro de Irene, y contempla la fachada de la casa. En el jardín descubre una serie de rosales y un par de naranjos que antes no estaban. Más allá, una nueva barda de ladrillo sustituye la vieja empalizada. Con razón no le alcanza el dinero, se dice. Se le va en tonterías. Una oleada de calor le sube al rostro. Abre la portezuela para respirar el aire frío.

Por un segundo duda en bajar su celular o guardarlo en la guantera, pero después de imaginar la cara que pondría Irene si Clara lo llamara durante la cena, opta por apagarlo y lo deja en el asiento. Saca de la cajuela los tres regalos que escogió su secretaria. El de Luisito es el más pesado. Gabriel se reprocha por no saber qué contienen los paquetes. Mientras oprime el timbre, recuerda de nuevo el revólver en la mano del lavacoches y la expresión del chofer de la camioneta. Enseguida vuelve a pensar en Clara. ¿Qué dirá cuando le cuente lo que vi? Pero todo queda atrás cuando reconoce detrás de la puerta los pasos de Irene apresurándose a abrir.

Se conocieron cuando Gabriel recién había terminado su carrera y se preparaba para irse a Europa a estudiar una maestría. Él tenía veintidós años y la certeza de que sus padres le habían trazado un destino seguro. Fue en una fiesta de la universidad. Irene cursaba Comunicación, aunque en realidad era muy callada. Esto le gustó de ella, así como que llevara el pelo recogido en una sencilla cola de caballo, que usara suéter y pantalones de mezclilla, y su sonrisa. Además, tenía buen cuerpo. Estuvo a su lado toda la velada. Después de medianoche la acompañó a su casa. En el camino intentó besarla y ella se resistió. Como en esa época Gabriel admiraba el recato en las mujeres, la invitó a salir varias veces más, y formalizaron su noviazgo unos días antes de que Gabriel partiera.

Durante tres años sólo se vieron en vacaciones, pero se escribían cada semana. A pesar de su timidez habitual, la cartas de Irene vibraban de pasión. En ellas le decía que lo amaba, que lo deseaba, que lo necesitaba en las noches interminables, que su ausencia era una tortura atroz, que quería tenerlo sólo para ella, que extrañaba sus besos y sus caricias. Firmaba "Tuya siempre, Irene". A los tres meses de su regreso se casaron. La misma tarde de la boda salieron de viaje a Hawai, donde Gabriel pudo vencer al fin los pudores de su esposa. Se enredó en su cuerpo una y otra vez, saboreó su piel, aspiró entre sus piernas un olor acre que lo condujo a la locura. Después de hacer el amor, ella lo abrazaba y le acariciaba la cabeza hasta que Gabriel, satisfecho, se dormía.

La cuarta noche, entre sueños, creyó oír que Irene sollozaba. Luego escuchó lo que le pareció una caída de agua. Al día siguiente no hizo preguntas, pero una sensación de incomodidad lo acompañó mientras estuvieron en la playa, en la comida, en la alberca por la tarde, en la discoteca donde fueron a bailar después de la cena. De nuevo en el hotel, al desnudarla, notó cierto cambio en ella. No hizo mucho caso a causa de su excitación, pero al penetrarla se dio cuenta de que Irene no gemía de placer, ni había gemido en las noches anteriores. Tan sólo aceleraba un poco el ritmo de su respiración. Trató de restarle importancia al asunto, pero entonces el olor acre de su mujer, que tanto le había gustado la primera noche, comenzó a resultarle molesto. Al terminar, Gabriel fingió dormirse de inmediato. A los pocos minutos escuchó sollozos. Los estuvo oyendo durante más de una hora, hasta que ella dejó la cama, fue al baño y abrió la regadera.

Nunca le preguntó cuál había sido la causa del llanto. Quizá no deseaba saberlo. Ella tampoco dijo nada. Al regreso de la luna de miel los amigos les preguntaron cómo la habían pasado, y ambos respondieron que de maravilla. Cuando Irene narraba los pormenores del viaje, sus pupilas resplandecían.

Hacían una pareja perfecta, estaba seguro. Compartían amigos, anhelos, planes y hasta opiniones. Igual que muchos esposos, pronto empezaron a adivinarse los pensamientos. Irene había terminado su carrera, pero decidió dedicarse al hogar. Cuando nació Laura, abandonaron el departamento que rentaban para comprar casa en una de las colonias nuevas en los límites de la ciudad. Gabriel ascendía rápido los puestos directivos de la empresa. Más tarde vino Luisito, y al tenerlo en sus brazos Gabriel estuvo seguro de que aquel destino trazado para él desde su juventud se cumplía punto por punto.

Sólo de vez en vez recordaba el llanto de su mujer durante el viaje de bodas. No se obsesionaba con él, pero lo sentía como una pequeña espina clavada en el costado. Irene ya no sollozaba después de hacer el amor. Los años la habían transformado en una amante sabia y complaciente, que conocía muchas maneras de satisfacer a su marido y que ya no callaba sus jadeos. Gemía poco, es cierto, pero siempre en el momento preciso para estimular a Gabriel. Él habría estado feliz del todo si no hubiera persistido en Irene ese olor que al mismo tiempo le provocaba excitación y pesadumbre. No podía dejar de asociarlo con el llanto pasajero de su esposa. Además, con el tiempo, se había intensificado. Sabía que se trataba de una manifestación de la plenitud que vivía Irene, pero también era la causa de que él aplazara sus encuentros.

Cuando su hijo menor cumplió dos años, Gabriel llevaba varias semanas acostándose con Clara. Eran compañeros en la empresa, donde ella ocupaba desde hacía meses la oficina de junto. Clara había obtenido una subdirección al graduarse, gracias a que su padre representaba como abogado a los accionistas. Se cayeron bien desde un principio. Cada día se visitaban varias veces en sus respectivos despachos, para hacerse consultas y en ocasiones se tomaban un café mientras conversaban de cualquier cosa. Era una mujer guapa, desenvuelta, que no mostraba reparos para afirmar que Gabriel le parecía atractivo e inteligente y que envidaba a Irene. Clara tenía un cuerpo esbelto, bien proporcionado, y lo lucía con faldas estrechas y blusas de escote amplio. Una noche salieron a cenar por cuestiones de trabajo. Tras la cena, vinieron las copas y los besos; luego en el auto de Gabriel se manosearon hasta acabar encerrados en un motel.

Aunque ambos convinieron en que había sido un error que jamás habrían de repetir, para Gabriel fue imposible quitarse esa noche de la cabeza. Nunca antes había estado en la cama con una mujer tan entusiasta. Por días trajo en la mente los gritos de placer, las frases obscenas que Clara le había dicho al oído con voz agónica. Volvía a sentir en la cintura la fuerza de esas piernas que no cejaron hasta exprimirlo por completo. Pero sobre todo saboreaba de nuevo, una y otra vez, ese aroma sanguíneo y floral que le erizaba la piel tan sólo de recordarlo. Clara olía como Irene nunca había olido, como no olería jamás.

Una tarde la abordó al salir de la oficina. Le dijo que necesitaba verla otra vez a solas. Ella se resistió, antepuso argumentos de carácter laboral, pero terminó cediendo. Esa noche regresaron al motel. Luego, mientras Gabriel dejaba a Clara en su coche, reconocieron que no podían seguir separados. Se encontraron en el mismo motel casi todas las noches durante dos semanas, hasta que Gabriel reunió los arrestos necesarios para enfrentar a Irene después de la fiesta de cumpleaños de Luisito. Ella sospechaba la infidelidad, mas no se esperaba una ruptura definitiva. Aun así, no opuso resistencia. Si ya no deseaba vivir con ella, que se largara. Tan sólo pidió un motivo válido. Gabriel, con ganas de acabar pronto y ofuscado por su pasión hacia Clara y por un repentino resentimiento hacia su esposa, tuvo un brutal acceso de sinceridad.

–No soporto tu olor –dijo.

Irene se quedó muda por unos minutos. Luego se mordió el labio.

–Pues será como tú quieras. Pero te va a costar caro.

–Bueno, niños. Despídanse porque ya es hora de dormir.

–¡Otro ratito, mamá!

Gabriel se lleva la mano a la boca para cubrir un eructo silencioso mientras observa a sus hijos. Luisito le simpatiza. Ha cambiado mucho desde la última vez que lo vio. Se está convirtiendo en persona: luce más despierto. Sus ojos expresan inteligencia y una curiosidad inquieta. No dejó de contemplar a Gabriel durante la cena, como si en algún rincón de su incipiente memoria buscara un reflejo de la imagen de quien le decían que era su padre. Cuando abrió su regalo lucía emocionado. Luego, al poner a rodar el camión Tonka, hizo que Gabriel recordara con ternura las navidades de su propia infancia. Incluso cuando Irene levantó el juguete argumentando que maltrataría la alfombra, se acordó de los regaños de su madre.

Laura, en cambio, es demasiado semejante a Irene, piensa. Tiene el mismo rostro impenetrable, y una sonrisa que parece sobrepuesta, como si alguien se la hubiera dibujado para aliviar un poco la dureza de las facciones. Fue a sentarse enojada junto a su madre y dijo que ya tenía dos muñecas iguales. No obstante, ahora es ella la que insiste en quedarse un rato más en compañía de su papá.

–Ya es muy noche. Denle un abrazo a papi y agradézcanle los regalos.

Se encuentran en la sala, adonde se trasladaron después de cenar la especialidad navideña de Irene: bacalao a la vizcaína. El convivio familiar fue agradable porque Gabriel y ella casi no cruzaron palabra. Se dedicaron a poner atención a los niños, quienes narraban con gritos y gesticulaciones las caricaturas que habían visto por la tarde. Los dos adultos bebieron una botella de vino blanco. Gabriel expresó algún comentario elogioso respecto a la comida, que fue agradecido con cortesía seca. Luego Irene dijo que era mejor abrir los regalos de una vez y abandonaron el comedor. Cuando rompió la envoltura del suyo y vio el reloj de pulsera que había elegido para ella la secretaria de Gabriel, sonrió con amargura, como si se preguntara qué obsequio habría merecido la amante de su exmarido, mientras inclinaba la cabeza a modo de aceptación. Enseguida hubo un silencio incómodo. Fue entonces que optó por mandar a los niños a la cama.

—Gracias por la Barbie, papi.

Gabriel abraza a su hija y nota que se le anuda en la garganta una emoción que no había advertido antes. Por un momento no sabe distinguir si lo que la causa es cariño, nostalgia o simple culpa. Se pregunta si, de haberse topado a la niña en la calle, la hubiera podido reconocer después de tantos meses. En vez de responderse, la estrecha aún más fuerte contra su pecho al tiempo que suspira. Entonces percibe en su hija el germen del aroma de Irene, apenas disimulado entre los olores de la niñez.

—¿Te vas a quedar con nosotros y todo va a ser como antes?

—Ya, Laura. Dale un beso a tu papá y deja que Luis le diga buenas noches.

Gabriel agradece en silencio la intervención. No hubiera sabido cómo responder. Abraza al pequeño. En él no advierte ningún aroma, pero aun así la presión en su garganta se hace mayor. Aprieta los párpados. Intenta cerrar la mente a esos sentimientos que no conocía, pensar en otra cosa. Visualiza entonces el pulgar del limpiavidrios amartillando el revólver, los labios del gordo murmurando un último rezo. Se le ocurre contarle a Irene su aventura, pero enseguida rectifica: sabe lo que ella dirá. Mejor me lo guardo para Clara, piensa. Abre los ojos, da un último apretón al niño que le estampa un beso en la mejilla, y lo suelta.

—Que duerman bien, hijos. Feliz Navidad.

—Feliz Navidad, papi.

—Sírvete algo por mientras, si quieres. Los acuesto y vuelvo.

El tono de voz de su exmujer es, como siempre, neutro. Sin embargo, reconoce el halo de un rencor oculto. El nerviosismo, que ya se le había adormecido gracias al vino y a la convivencia con sus hijos, se le recrudece. Tras la placidez de la velada, una pregunta lo inquieta: ¿en qué momento se fue todo al carajo? Luego otra: ¿qué lo jodió? Después de la separación, Irene y él sólo se habían visto en dos o tres ocasiones, en compañía de los abogados, para finiquitar el divorcio. Como Irene había dicho, sus exigencias fueron muchas y la cuota que pidió para la manutención de los niños bastante alta. Gabriel no regateó, aceptó todo sin discutir. Tras firmar los papeles, hablaron por teléfono algunas veces, pero sólo para resolver cuestiones prácticas. Es decir, Irene no le ha echado en cara nada hasta ahora, pero en sus miradas durante la cena, en sus actitudes, disimuladas por la presencia de los niños, Gabriel pudo darse cuenta de que está a punto de empezar.

Se pone de pie para servirse una copa. Las piernas le tiemblan un poco. No tiene ánimos para nada. Vuelve a sentarse y piensa en Clara. Quizá nunca antes ha deseado tanto estar con ella.

−Supongo que no te quedas a tomarte una copa −dice Irene al verlo con las manos vacías.

En sus palabras hay un eco de cansancio que alborota de nuevo los sentimientos de Gabriel. Ella recoge las envolturas de los regalos, la caja del Tonka, las arruga y las lleva a un rincón. Camina con desgana. Toma asiento en el sofá. Sigue siendo una mujer atractiva. Viste con sobriedad y tiene ademanes finos. En eso le lleva ventaja a Clara, cuya tozudez y energía la asemejan a un animal brioso. Gabriel contempla complacido a su exmujer. No le han de faltar pretendientes, piensa.

−De cualquier modo, no tenemos nada por qué brindar −insiste ella.

Es como si le abriera la puerta, facilitándole la huida. Qué bien me conoce, se dice Gabriel airado. Ahora me quedo. Sin embargo, duda. Hasta hace unos instantes, lo único que deseaba era salir cuanto antes de ahí e ir con Clara, mas la seguridad de Irene al hablar tiene sobre él un efecto de rebeldía. Decide llevarle la contraria. Se levanta y camina hacia la barra.

−Quiero coñac. ¿Tú?

Ella asiente. Gabriel destapa la botella y, en tanto sirve dos copas, por primera vez en la noche repara en el pino lleno de esferas y series de luces. Es similar al del año pasado y está en el mismo rincón. La sensación de que el tiempo se ha detenido lo embarga. Un año antes, Irene y él también tomaban un trago después de acostar a los niños. Pero todo era distinto, se dice. Hace un año yo no vivía con Clara. No había rencores ni culpas. Las cosas iban bien. Recuerda cómo, al terminar su copa, se acercó a Irene y comenzó a desnudarla, cómo se la montó encima para poder acariciarla mejor mientras la penetraba, cómo en el momento del orgasmo el olor de ella, más intenso que nunca, lo envolvió hasta marearlo. Gabriel sacude la cabeza para ahuyentar el recuerdo.

—Aquí está tu coñac.

—Gracias.

Irene no lo mira. Tiene los ojos fijos en la alfombra, en un pedazo de papel que olvidó recoger.

Gabriel regresa a su sillón pensando en que todas las navidades son distintas. Hasta para el limpiavidrios, se dice. Seguro el año pasado aún era oficinista, recibió aguinaldo y cenó tamales y romeritos en su departamento con su familia. En cambio hoy anda en la calle pistola en mano. Olvida sus pensamientos porque los labios apretados de Irene capturan su atención. El color ha desaparecido en ellos y la boca es una línea recta muy fina. No tiemblan como los del chofer de la camioneta, pero parecen a punto de dejar salir un sollozo.

—Salud —dice él para acabar con el silencio.

—Salud.

Por la mente de Gabriel pasa la imagen de Clara, en casa de sus padres, alegre y risueña, y no puede evitar la ira. Ella es la culpable de que haya abandonado a Irene. En su interior gana terreno la certeza de que todo ha sido un error. El error más grande de su vida. Nunca debió relacionarse con Clara. Nunca debió abandonar a su familia. ¿Cuándo se jodió? ¿En qué momento? Era feliz con Irene. Muy feliz. Ahora lo sabe y quisiera nunca haberle sido infiel y que su vida continuara igual que hace un año. Se bebe el coñac de un trago. Posa de nuevo la mirada en su exmujer. Quiere llamar su atención, que ella lo mire con ternura. Si lo mirara con ternura una sola vez, correría a su lado, caería de rodillas como el gordo de la camioneta y le pediría perdón, la abrazaría, la besaría.

—¿Por qué, Gabriel?

El sonido de sus palabras proviene de muy adentro, y al brotar arrastra la amargura acumulada. Gabriel se queda helado. Comprende que ya jamás verá en el rostro de Irene una mirada tierna dirigida a él. Tampoco escuchará una palabra amable. No atina a responder. Ella insiste, y esta vez su voz vibra con violencia.

—¿Por qué tenías que mandar mi vida a la mierda?

—También mi vida estaba en juego.

La larga pausa le dio tiempo de reunir valor y fuerzas para responder. Ahora siente que están en igualdad de circunstancias. No entiende el porqué, pero haber dicho esa frase lo alivió, como si dejara salir un poco de la presión que lo hinchaba. Sabe que Irene no caerá en un estallido histérico, ni siquiera levantará la voz. Tampoco arrastrará ante él una ristra de recriminaciones. Eso no va con su temperamento. Su estilo es formular preguntas aisladas, certeras, dolorosas. Y asimilar las respuestas, rumiándolas bien antes de volver a preguntar. No se parece a Clara, quien ya habría roto los adornos de la sala, despertando a los vecinos con sus gritos. Clara le estrellaría la copa en la cabeza para enseguida correr a consolarlo, lamiéndole la herida. Desearía estar ahora con ella. Salir del bloque de hielo donde se encuentra y abrasarse con la piel de Clara.

—¿Y los niños? —la garganta de Irene continúa destilando un murmullo monótono—. ¿También a ellos decidiste mandarlos al carajo?

Sí. Clara le lamería la herida. Luego le arrancaría la ropa para humedecer con la lengua el resto de su cuerpo. A esta hora ya debe haber terminado la cena en casa de sus padres, piensa. Seguro ya abrieron los regalos. No tarda en llegar al departamento para esperarme.

—No, Irene. Sabes que a mis hijos no los voy a hacer a un lado nunca.

—Por Dios —ella sonríe—. Si los abandonaste desde el día que te fuiste. ¿Cuándo los has visto?

Aún tienes esa sonrisa especial, querida. Más agradable que la de Clara, sin duda. Gabriel trata de recordar el modo en que besa Irene, y no lo consigue. Se pregunta entonces cuándo pegó los labios a esa boca por última vez. Debió ser mucho antes de la separación, se dice y la mira de nuevo: sus labios han recuperado el color, lucen carnosos, llenos. Si fuera una desconocida, piensa, ya me habría seducido. El muslo de la pierna derecha, cruzada sobre la otra, ofrece una consistencia firme y abultada bajo el pantalón. Por un segundo la posibilidad de engañar a su amante con Irene lo hace sonreír también.

—¿De qué te ríes? ¿Te hace gracia no ver a tus hijos?

La reiteración lo obliga a reaccionar. El estado de placidez en que se hallaba se disuelve. Un acceso de rencor hacia Irene recorre sus intestinos. Se pregunta qué hace ahí todavía, escuchando estupideces, cuando debería ir en camino a encontrarse con su amante. Se pone de pie rápido, pero en vez de marcharse vuelve a servirse coñac.

—No vengo a ver a los niños porque no quiero verte a ti.

—Entonces es cierto que no me soportas.

—Sí, es cierto.

—¿Es por mi olor, Gabriel, como dijiste aquella vez?

Ahora es ella quien se levanta a llenar su copa. Él permanece en el sillón, mirándola desplazarse por la sala. Irene se ha quitado los zapatos. Sus pies parecen acariciar la alfombra. Son pequeños y bien formados, con las uñas barnizadas de color rosa.

El arranque de rencor se ha desvanecido en él. Comprende que su respuesta le hizo daño a Irene y con eso se da por satisfecho. El coñac termina de entonar su ánimo. Mientras su exmujer se sirve de la botella, él le mira las nalgas. Son firmes y más voluminosas que las de Clara. Sus manos, recuerda Gabriel, se amoldan a ellas de manera perfecta. Sabes que te estoy viendo, ¿verdad, cabrona? Por eso te tardas, ¿o no?

—Olvida lo del olor ya. Lo dije sólo para ofenderte.

Irene voltea. En sus labios tiembla una sonrisa triste que poco a poco se va ampliando hasta lucir franca. La recuerda en esa actitud durante muchas noches en el pasado, minutos antes de quitarse la ropa. Sonríe también. Entonces, como si hubiera recordado lo mismo, Irene lleva una mano al primer botón de su blusa. Se queda pensativa unos instantes, jugando con él entre los dedos, y retira la mano sin desabrocharlo.

—No. No puedo olvidar lo que me dijiste.

Camina hacia Gabriel y se detiene a sólo unos centímetros, de modo que su pubis queda a la altura del rostro de él. Gabriel retrocede despacio hasta recargar el cuerpo en el respaldo del sillón.

—Sólo me queda una duda. ¿Cuál es el olor que no te gusta? ¿El de mi sexo o el de todo mi cuerpo? Irene apoya una mano en el descansabrazos y se agacha hasta pegar el escote al rostro de Gabriel. Con la mano libre suelta los botones superiores, agrandando la abertura. Lo primero que él nota es que ella ha cambiado de perfume. Ahora usa uno más juvenil, campestre, con reminiscencias de bosque. Intenta retirar el rostro, mas el respaldo del sillón se lo impide. Entonces lo dirige al interior del escote y aspira. Ahí está, entre los vapores del perfume, el aroma de Irene. Acre, seco, un tanto picante, como el olor que emana de las piedras de un baño sauna. Lo detesta y, al mismo tiempo, se excita con él.

Ella se monta en el regazo de su exmarido. Lo agarra de los cabellos para apretarlo aún más contra su pecho. La copa de coñac resbala de los dedos de Gabriel y cae con un sonido bofo. Entonces le mete ambas manos bajo la blusa. Con una soba un pecho, con la otra rastrea el broche del sostén. Ella ondula el cuerpo cuando Gabriel libera los senos y lame, muerde un pezón. El olor comienza a marearlo y sabe que allá abajo, oculto aún entre la ropa, hay un pozo cuyas paredes rezuman el mismo aroma, sólo que más fuerte, más intenso. Con una mano le abre el cierre del pantalón. Logra colar sus dedos hasta la vulva, sintiendo cómo se le empapan. El cuerpo de Irene se agita con violencia, pero enseguida se queda inmóvil. Gabriel sigue sondeando y lamiendo todavía unos segundos, hasta que advierte que algo ha sucedido. Alza la cara y la ve, callada, inmóvil, con la vista fija en el piso.

—¿Qué pasa?

Ella tarda unos instantes en reaccionar. Voltea hacia él con los ojos vidriosos. Luego sonríe.

—Nada.

Intenta besarlo pero él gira el rostro al lado contrario. Lo que Irene veía es la mancha de coñac en la alfombra. Gabriel no puede evitar el recuerdo de los sollozos nocturnos durante la luna de miel y el sonido de la regadera en la madrugada. Piensa en Clara, esperándolo en el departamento, en el limpiavidrios vestido de negro rodando por el suelo muy cerca de las llantas de la camioneta. Irene busca sus labios, lo besa, y el contacto le desagrada. Su olor le impregna las fosas nasales hasta tornarse insoportable. Cuando Irene vuelve a restregar su cuerpo contra él, Gabriel experimenta la misma contracción en la boca del estómago que sintió cuando el limpiavidrios obligó a hincarse al gordo a punta de pistola. No responde. Sus músculos están tiesos. Es inútil, piensa mientras su exmujer parece cada vez más desesperada.

Al dejar atrás los linderos de su antigua colonia y tomar la avenida que atraviesa el centro de la ciudad, revisa la hora en su reloj. No es tan tarde como creía. Apenas pasa de la medianoche. Enciende el celular y marca el número de Clara.

—¿Hola?

—¿Dónde estás?

—Aquí con mis papás. Acabo de abrir mis regalos, mi amor. ¡Ni te imaginas lo que me regaló mi mamá! ¡Te va encantar!

—¿Qué es?

—No te voy a decir. Es una sorpresa.

Guarda silencio, pensativo. Luego dice:

—Que no sea un perfume...

—¡No, tonto! —Clara cambia de tono—: Gabriel, ¿dónde estás tú?

—En la calle. Voy para el departamento.

—Te oigo muy serio. ¿Te pasó algo, mi amor?

—No, nada.

—No te fue muy bien con la bruja, ¿verdad?

—No me fue de ningún modo.

—Pobre. ¿No quieres venirte para acá? Están todos mis hermanos.

—Prefiero que nos veamos en el departamento.

—Sí, mejor. Dame unos minutos y salgo para allá. ¿Sí?

Gabriel frena ante un semáforo. Las calles están vacías. Sus ojos se topan a lo lejos con una camioneta estacionada.

—Clara...

—¿Sí?

—Sí me pasó algo, pero antes de ver a Irene, cuando salía del centro. Algo rarísimo. Al rato te cuento. No te tardes.

—¿Fue algo grave?

—No. Luego te cuento.

Como sabe que Clara va a entretenerse mientras se despide de sus padres, sus hermanos, sus cuñados, sus sobrinos, decide dar un paseo por el centro de la ciudad. Pocas veces lo ha visto tan desierto, tan pacífico. El viento arrastra papeles y basura por las calles. Gabriel abre la ventanilla y aspira el aire frío para limpiarse los pulmones. Maneja a vuelta de rueda, contemplando los zaguanes de las casas, los aparadores, las ventanas iluminadas donde se adivinan festejos familiares.

Poco a poco, el roce del aire y los rumores nocturnos van desvaneciendo la imagen de su exmujer, el rictus de decepción que se le congeló en el rostro cuando le pidió que se bajara de él, la angustia que sintió enseguida al ver cómo, descompuesta, Irene estrellaba la botella de coñac en la pared de la sala, derribaba el árbol de navidad y, sin hacer caso del llanto asustado de los niños, lo seguía a la cochera donde, semidesnuda, descalza, con el cabello revuelto, al verlo subir al auto comenzó a patear la carrocería, a dar puñetazos en los cristales mientras lo insultaba. No paró sino hasta que algunos vecinos, escandalizados, salieron de sus casas.

Se detiene en una esquina. A mitad de la cuadra distingue un puesto callejero, iluminado por un foco desnudo y rodeado de gente. Debe ser de tamales, piensa. Y atole. Antes de volver a ponerse en marcha, ve a tres niños sentados junto a una mujer gorda, bien vestida a pesar de la pobreza de su atuendo. Todos ríen y hablan y comen. Se ven alegres, como si esa cena fuera un lujo. Junto a los niños, un hombre pequeño, oscuro, bebe a pequeños sorbos de un pocillo de barro.

Gabriel enfila el auto con rumbo a su departamento. Sonríe, sin saber muy bien por qué. Clara debe estar terminando de despedirse de su familia y a él le ha entrado curiosidad de saber cuál es ese regalo de su madre que tanto le quiere mostrar.

La habitación del fondo
◆

—Tampoco hoy se ha levantado... —dijo Benjamín apenas con un siseo risueño, pues la voz no le alcanzaba para dar cuerpo a las palabras.

—Umm —Margarita frunció la boca y las arrugas se multiplicaron en sus mejillas.

A Goyo le centelleó una chispa en las pupilas, miró sigiloso a los lados y después se concentró en su desayuno. Jacinta, con aire de estar recordando las travesuras de sus bisnietos, nomás resolló. El resto de los ancianos parecía un montón de maniquís arrumbados en torno a la mesa para que no estorbaran en otro sitio: quietos, miraban sus pocillos en silencio y rumiaban con tenacidad el pedazo de pan que traían en la boca desde un rato antes, aguardando el momento preciso para empujárselo con un trago de café.

—Todavía no —insistía Benjamín.

Andrea, la jefa de enfermeras, los observaba desde el extremo de la mesa en tanto agitaba el abanico de cartón muy cerca de su rostro. Andan raros hoy, se dijo. Lo había notado desde que, al entrar en el comedor para supervisar el desayuno, percibió un ambiente demasiado manso. Goyo, Jacinta, Margarita y Benjamín lucían alegres, repuestos, como si hubieran pasado la noche sin problema. Ninguno se quejaba de frío o de calor, ni de sus achaques diarios, ni protestaba porque en la bandeja no había pan de su gusto. Sopeaban conchas y bolillos en el café, para después desmenuzarlos con las encías sin alzar la vista hacia los demás. Al beber daban pequeños sorbos y enseguida se limpiaban el mentón con la manga. Sólo Benjamín rompía el silencio de vez en vez con su monólogo cíclico. Hablaba de Amparo, la interna más reciente del geriátrico, quien contra su costumbre se había quedado en la cama de nuevo. Andrea sabía que desde una semana atrás no se encontraba bien, y ahora la repetición obsesiva de Benjamín y la actitud de los demás la hacían sospechar que había empeorado.

—Se quedó dormida...

Los estudió despacio, uno a uno, en busca de indicios para explicarse su conducta. Las nudosas manos de Jacinta temblaban un poco menos que otras mañanas. Margarita cambiaba de gesto a cada instante, y a veces sus labios trazaban un esbozo de sonrisa. Al posar los ojos en Goyo, le descubrió en el párpado izquierdo el tic que ya había visto en otras ocasiones. Algo hiciste, viejito cabrón, respiró satisfecha de haber encontrado una pista. Algo le hiciste a Amparo. Por eso ya no se levanta temprano. Por eso ha andado tan nerviosa y llena de malestares. Por eso inventa cosas. Sí, algo le hicieron, todos, aunque no sea lo que ella dice. Conocía a sus pacientes igual que la maestra a cargo de un grupo conoce a sus escolares; sabía que, como pasa con los niños, cuando entre los ancianos parece no ocurrir nada, está a punto de suceder algo grave. Y esa mañana bajo la aparente calma palpitaba la violencia de una tensión turbia, eléctrica. ¿Por qué no habrá salido Amparo de su cuarto? Con las pastillas que le di anoche ya debe sentirse mejor. Mientras los demás continuaban rumiando el pan convertido en papilla, Andrea localizó con la vista a Tomasa, la encargada del comedor. Iba a pedirle que fuera a buscar a Amparo, cuando escuchó un portazo en el área de dormitorios.

—Uh, sí se levantó —siseó Benjamín desilusionado.

La jefa de enfermeras se sorprendió al ver llegar a la anciana con el cabello sucio y revuelto, en bata aún, sin rastro de maquillaje y con traza de no haber descansado. En cuanto la vieron cruzar el umbral del comedor, los cuatro viejos comenzaron a dar muestras de inquietud: abrían los labios en intentos de disculpa, se removían con movimientos pesados en sus sillas de aluminio, se miraban unos a otros con alarma y luego veían a Andrea con ojos parpadeantes, húmedos de lágrimas, tratando de dar a sus facciones una expresión de inocencia. En vez de sentarse entre sus compañeros, Amparo rodeó la mesa con pasos cortos, rígidos, como si le doliera mover las piernas, mientras los escrutaba uno a uno. Busca al culpable, se dijo Andrea. Pero, ¿de qué? ¿Deveras te hicieron algo ahora, Amparo, o de nuevo son puros inventos? Para entonces ya de algunas barbillas escurrían residuos de café, y migajas de pan volaban reblandecidas de los labios al mantel en cada respiración. Amparo se detuvo frente a Margarita, la atravesó con una mirada aguda y siguió su camino alrededor de la mesa sin tener muy claro hacia dónde se dirigía. Margarita emitió una carcajada.

—Miren a la reina —dijo—. Nomás le quitan la pintura y todos los menjurjes que se echa en los pelos y se ve tan vieja como nosotros. O más.

Amparo no respondió. Hizo un alto con objeto de acordarse de la dirección que llevaba y sus rodillas temblaron inseguras. Se sobó los brazos llenos de pecas. Su expresión era de incertidumbre mientras repasaba los rostros de los demás, semejantes a máscaras de madera basta, pero al ubicar a la jefa de enfermeras se mostró menos angustiada. Avanzó hacia ella y Andrea pudo percibir el olor a rancio que despedía su piel.

—Necesito hablar con usted, señorita.

—Amparo, siéntate y desayuna.

—Es que otra vez…

—Ve a sentarte.

La anciana se mordió el labio inferior dejándose una marca y se dirigió a un sitio vacío. Hizo un par de ensayos hasta que al fin pudo posar su cuerpo en el asiento. Luego sonrió con una sonrisa triste, donde podía adivinarse la nostalgia por la flexibilidad perdida, y sus incisivos húmedos brillaron con la luz de los tubos sujetos al techo. Era la única interna que conservaba los dientes completos, motivo de envidia para los demás que, si acaso, poseían una dentadura postiza de las más baratas. Todo en ella causa grima entre estos viejos decrépitos, pensó Andrea. No sólo los dientes, también la columna vertebral derecha, la memoria intacta, su energía. Por eso no dejan de fregarla. Lo del dormitorio no es sino el pretexto.

—Yo quería ese pan.

—Márgara, estate quieta. Tú ya comiste. Luego andas con dolor de estómago.

Tras ignorar a Margarita de manera ostentosa, Amparo se llevó el pan a la boca sosteniéndolo entre el pulgar y el índice sin remojarlo antes en el café. Hay modales que no se pierden, se dijo Andrea y enseguida se preguntó de nuevo qué hacía una mujer así en el geriátrico. Amparo era viuda, y decía tener tres hijos profesionistas en buena situación, aunque nadie los había visto. No la visitaban ni le hablaban por teléfono. ¿Por qué estás con nosotros, Amparo, si podrías pagar una casa de reposo decente? Hasta una semana antes aún lucía fuerte, saludable, a pesar de sus noventa y dos años. Era la encarnación de la vejez digna. Andrea recordó entonces los comentarios entusiastas de las enfermeras durante los primeros días de estancia de la nueva interna, cuando se dieron cuenta de que no se trataba de una ruina como los demás. Amparo podía bañarse, vestirse, desvestirse e ir a la cama sola. Comía de todo sin problemas de digestión y por las noches caminaba sin ayuda al baño. Sus sábanas son las únicas que llevo a lavar sin asco, señorita, decía la encargada de los dormitorios, nunca hay en ellas las porquerías que dejan los otros. Paseaba varias veces al día por el pasillo y, si los demás dormitaban frente al televisor, ella leía en su cuarto unos libros muy gruesos de letra minúscula sin ocupar anteojos ni lupa. Se ve que viene de buena cuna, decía Tomasa, es toda una dama, siempre da las gracias y pide las cosas por favor. Cada uno de sus ademanes era correcto y natural, destilaba una suerte de distinción mantenida con base en disciplina y buen gusto. No babeaba, hablaba sin escupir, su comida nunca caía sobre el mantel ni encima de su vestido. Usaba ropa limpia y su arreglo parecía de salón. Pero algo le está pasando, y muy rápido, pensó Andrea. El rostro de la anciana evidenciaba esa mañana ciertos estragos recientes: ojeras azules, labio inferior caído, piel reseca, demasiado cuarteada y con manchas cárdenas en algunas zonas, y un color céreo, casi transparente; sus manos perdían firmeza.

—Qué carita te cargas hoy. Se ve que el cuarto de don José no es como creías, ¿verdad? —dijo Jacinta con malicia rara en ella.

—Déjenla. A ver, Jacinta, ¿terminaste? Adiós. Los demás también. Vayan a la sala o caminen un rato por el pasillo.

Las patas de las sillas trepidaron en el piso. Los ancianos se levantaban despacio, con dificultad. Los temblores intermitentes, el crujir de los esqueletos, los gemidos de dolor y cansancio mantuvieron ocupada la atención de la jefa de enfermeras durante unos minutos. Cualquier movimiento tardaba una eternidad; la angustia y el esfuerzo deformaban los rostros. Cuando la tropa de veteranos ya se dispersaba llevando el cloqueo de sus huesos fuera del comedor, Andrea se levantó. Debía atender el desayuno de los incapacitados. Amparo alzó hacia ella unas pupilas suplicantes.

—Señorita...

—En un minuto. Le echo un vistazo a los bultos y regreso. Espérame aquí.

Salió del comedor con zancadas enérgicas, sintiendo cómo sus carnes se cimbraban al caminar. Primero se asomó a la sala de recreo: los internos se habían acomodado en torno a las mesas de juego o sobre los sillones. La luz oblicua y polvosa que penetraba por un postigo les confería apariencia de esculturas mal hechas, descoloridas, en la galería olvidada de un museo. Les prendió el antiguo televisor, esperó a que los bulbos se calentaran y, cuando en la pantalla apareció el zumbido de unos dibujos animados, los dejó solos para dirigirse al pabellón colectivo con el fin de comprobar que los platos y tazones estuvieran vacíos, o por lo menos a medias.

Le agradaban los bultos, como ella les decía con cariño no exento de burla. Aunque casi todos estaban inmovilizados por la osteoporosis, la artritis, por enfermedades que Andrea ni siquiera sabía pronunciar, o por la simple debilidad de la vejez, eran obedientes, fáciles de atender, permanecían dentro del pabellón todo el tiempo y su único anhelo consistía en sobrevivir otra jornada agarrados a algún recuerdo remoto que ya se les diluía en una memoria sin entendimiento. Con ellos el trabajo de Andrea se reducía a tratar de mantenerlos de este lado de la muerte por medio de una palabra amable y dos o tres palmadas en sus hombros huesudos, mientras supervisaba que la enfermera en turno les desinfectara las llagas, les hiciera tomar las píldoras prescritas por un médico que aparecía una vez al mes, les acercara la bacinilla con oportunidad y aireara las habitaciones cuando ensuciaban la cama. La peor parte era vigilar el arribo de la agonía, que muchas veces se alargaba por semanas, como si después de haber dado la orden de partir la misma muerte se olvidara de los ancianos igual que sus hijos y demás allegados.

Quienes podían hablar, desplazarse y poseían habitación propia, en cambio, vivían metidos en problemas. Como la pobre Amparo, se dijo Andrea acelerando sus pasos para apurar la tarea. El geriátrico ocupaba el sexto piso de un ruinoso sanatorio céntrico. No era muy grande, pero como había en él poco personal, las enfermeras estaban siempre saturadas de quehaceres. Mientras se acaloraba llevando a

133

cabo su ronda, Andrea trató de deducir cuál sería ahora el reclamo de su interna más reciente. ¿La habían insultado? ¿Alguien le había dicho otra vez que ella no merecía la habitación de don José? Cualquiera que fuera el argumento, Andrea sabía que Amparo inventaba, o por lo menos exageraba. No obstante, desde que había comenzado a quejarse, desde que las manifestaciones del deterioro irreversible aparecieron en su cuerpo, un terco desasosiego alborotaba el pecho de la jefa de enfermeras. Al preguntarse por qué los achaques de esa anciana la afectaban así, reconoció que por primera vez en su carrera veía en el derrumbe de un ser humano la suerte que le reservaba el destino.

—Enfermera… Mariquita, la de la cama nueve, no ha comido. Ayúdele.

La llegada de Amparo dos meses atrás había significado una desgracia para algunos internos. No porque fuera un elemento nocivo. Al contrario, las primeras semanas ella había mostrado un carácter afable y cordial; incluso se interesaba en los problemas y dolencias ajenos, conducta rara entre los viejos. Con esa actitud en cualquier otro momento habría sido muy bien recibida, pero su arribo al asilo coincidió con la muerte de don José Garza, el inquilino del dormitorio que por lo menos Goyo, Benjamín y Margarita soñaban heredar.

—A ver, Lucita, ¿le gustó la avena? ¿Ya hizo del baño? Sí, Lucita. Ahora mismo.

Aunque el cuarto número doce era idéntico a los demás, corrían entre los viejos algunas leyendas sobre él. Las otras enfermeras y las encargadas del aseo se reían porque habían escuchado a Jacinta decir que quien lo ocupara se mantendría vivo mucho tiempo. Es que está en la mera esquina y su ventana tiene vista: por ella se puede ver el mundo. Por ella se puede ver el mundo, se repitió Andrea mientras contemplaba las paredes de un cuarto, del pasillo, de otro cuarto, blancas hacía muchos años y ahora de un gris melancólico, percudido por el polvo y el abandono. Esas paredes también eran su mundo. La jefa de enfermeras supo que estaba a punto de deprimirse y procuró pensar en otra cosa.

El mismo don José había alimentado la fama de su habitación. Pasaba tardes enteras narrando a los demás lo que veía en la calle, en el parque de la siguiente cuadra, en los departamentos del edificio de enfrente. No obstante, al morir don José y ser instalada ahí, lo primero que Amparo hizo fue mandar traer unas cortinas espesas para no distraerse durante sus lecturas. No se lo perdonan, se dijo Andrea al salir de otro dormitorio tras arropar al inquilino. Ni se lo perdonarán nunca. Y lo único que tiene el dichoso cuarto, si algo tiene, es que desboca la imaginación de quien lo ocupa. A don José le inspiraba cuentos. A ésta la hace alucinar acosos sexuales. Quién te viera, Amparito, sonrió Andrea al toparse con Benjamín en el pasillo.

–Ándale, Benjamín. Búllele. Es ejercicio, no vagabundeo.

Mantuvo en sus labios la sonrisa en tanto recordaba a don José armando fábulas en el comedor o en la sala de recreo. Los demás lo escuchaban absortos, hipnotizados por la variedad de tonos y modulaciones con que solía aderezar sus relatos. Es mejor que la televisión, afirmaba él, porque en mi ventana nadie me reprime, no padezco la censura de las enfermeras y puedo mirar incluso escenas pornográficas. Ninguno se atrevía a contradecirlo, pues en el resto de los dormitorios la única vista a través del cristal era un oscuro muro de concreto con manchas de orín. Si ustedes supieran lo que veo en las recámaras del edificio de enfrente, pagarían por estar en mi lugar. En ocasiones, al oírlo, Andrea se arrimaba en silencio a engrosar el auditorio.

Ayer, antes de acostarme, presencié un asalto en el parque. Dueño de la atención de sus oyentes gracias a un arranque atractivo, comenzaba a desgranar los detalles de la supuesta escena ocurrida seis pisos abajo y a unos ochenta metros de distancia. Contaba cómo cuatro pandilleros amagaban a punta de navaja a una pareja de enamorados que se besaban y manoseaban en una banca. Era experto en detectar por dónde iba el interés de sus escuchas y con frecuencia daba giros inesperados, o de plano cambiaba el rumbo de sus relatos. Se acariciaban con un ardor, decía, que la muchacha ya tenía los senos afuera de la blusa. El novio, bastante goloso, se los amasaba con comprensible lujuria, luego bajaba la cabeza para mordérselos. Si vieran los gestos de ella. Descarada, qué tiempos corren ahora, Dios, reprobaba Margarita, pero casi siempre reprimía su indignación con tal de oír el cuento completo. ¿Y los pandilleros?, preguntaba Benjamín. Ésos llegaron tan de repente que la pobre muchacha no tuvo tiempo de esconder sus vergüenzas. Vieja perdida, remachaba Margarita y torcía el gesto, bien merecido se lo tiene por liviana. Ssh, la callaba Jacinta. Deja que don José siga. ¿Y eran grandes, don José?, interrumpía entonces Goyo. Enormes, proseguía el narrador. Tan grandes que cuando un pandillero se los agarró no le cabían en las manos y eso que el pillo se cargaba tamañas manotas. Ay, Dios, exclamaba Goyo con la lascivia estampada entre los pliegues de su rostro. Don José proseguía su pintura verbal del cuerpo de la joven, agregando detalles cada vez más explícitos, hasta que la jefa de enfermeras, al ver saltar el tic en el párpado de Goyo, cortaba la historia de tajo. ¡Qué barbaridad, José! ¡Ya párale! ¡Le va a dar un infarto a este hombre!

Hizo un alto a mitad del pasillo. Se secó el sudor de la frente y el cuello con un pañuelo pringoso y trató de calmar su respiración. A quien le va a dar un infarto es a mí, se dijo. Luego pensó en la ironía de que Goyo siguiera entero con sus noventa y cinco primaveras a cuestas, mientras don José había muerto varios años más joven. Resolló. Extrañaba al viejo narrador. A ella también la entretenían sus cuentos. Eran mejores que las caricaturas en la televisión o las mustias fotonovelas que se prestaban entre las enfermeras. ¿Y los libros de Amparo?, se preguntó de pronto Andrea. ¿Qué historias contarán? Entró y salió rápido de la habitación donde una mujer centenaria llevaba semanas quejándose de dolor de cabeza, en tanto su memoria la trasladaba a esas tardes en que, con vena poética, don José describía el amanecer o el ocaso. Sus palabras se teñían entonces de colores deslumbrantes, se desplazaban con las nubes por el azul del cielo o perseguían parvadas de golondrinas que volaban hacia el horizonte. Los demás callaban heridos por la nostalgia, vislumbrando en la mente un espectáculo que tal vez no volverían a ver nunca, condenados como estaban a un encierro cuya única salida era la muerte.

—¿Y Amparo? ¿No me estaba esperando? —dijo al volver al comedor.

—Sabe… —Tomasa pulía la superficie de la mesa con una jerga sucia—. Hace rato se fue.

Tanta prisa y tan poca paciencia. ¿Qué te está pasando, Amparo? Andrea fue al garrafón de agua, llenó un vaso y lo bebió sin respirar. La ronda por el piso la había fatigado y descartó la idea de trasladarse al fondo del pasillo, donde se ubicaba la habitación número doce. La piel del rostro le ardía en leves palpitaciones; el sudor hacía charco entre sus senos. Jaló una silla y dejó caer el cuerpo sobre ella con un largo gemido que llamó la atención de Tomasa.

—¿Se siente bien, señorita?

—Es puro cansancio, mujer.

Tomasa continuó su trabajo. Ahora tallaba la jerga en los respaldos de las sillas y en respuesta a sus afanes algunas crujían a punto de desarmarse. Todo aquí se cae de viejo, pensó Andrea. Incluso yo. ¿Qué voy a hacer cuando me jubilen? ¿Cuánto voy a poder aguantar allá afuera con lo que tengo en el banco? Al ver a Tomasa sumergir la jerga en el líquido espumoso de una cubeta, se consoló pensando que quizá la mejor suerte que podía tocarle era acabar sus días en un geriátrico así, donde si bien hasta las sillas se deshacían por lo menos estaban limpias, al cuidado de gente responsable. Sí, aquí todo huele a desinfectante o a medicina. O a las dos cosas.

—Señorita, no sé si le alcanzó a decir Pedro lo que pasó anoche.

—¿Qué?

—Pos quesque ya tarde oyó gritos, y que cuando se levantó ya no eran gritos, sino lamentos, como los de la Llorona. Que venían del fondo.

—¿Y qué era?

—Sabe… Según él, cuando fue a ver ya no se oía nada. Pero yo creo que ni se asomó. Se ve a leguas que es collón el Pedro ese.

—¿Qué más te dijo?

—Nomás. Oiga, ¿no andarán espantando en el hospital? Dice una enfermera que con tanta gente que se muere aquí…

—Ay, ya. No inventes tú también.

Tomasa hizo un gesto de disgusto. Volvió a enjuagar la jerga y se puso de rodillas para pulir las patas de la mesa. ¿Habrá sido Amparo?, se preguntó Andrea. Seguro le siguen las pesadillas, síntoma de que está dando el viejazo definitivo. Es inevitable. Pocos pueden mantenerse sanos y lúcidos a su edad. La jefa de enfermeras sintió de pronto la lengua seca y miró el garrafón. Sólo la separaban de él dos o tres pasos, pero tenía tan pocas fuerzas que decidió permanecer sentada. Desde que se hacía cargo del geriátrico, Andrea había visto casos semejantes: hombres y mujeres que llegaban más o menos en uso de sus facultades, la espalda recta, los miembros fuertes, al principio se mostraban extrañados o hasta avergonzados de estar ahí y veían a los otros internos con cierto desprecio, igual que a deficientes mentales; sin embargo, al cabo de pocas semanas comenzaban a dar señales de debilidad y dependencia, se iban inmovilizando cada vez más hasta convertirse en vegetales, en bultos. En cambio, auténticos ejemplos de decrepitud como Margarita, Goyo, Jacinta o Benjamín, cuya estampa haría pensar a cualquiera que se hallaban a un paso de la tumba, se mantenían vivos, tercos en ver el paso de los años. Seguro hicieron un pacto con el chamuco, conjeturó la jefa de enfermeras. Antes de ponerse de pie, se llevó una mano al pecho para comprobar que su fuelleo se hubiera normalizado. Apoyó su peso en las rodillas y se impulsó hacia arriba.

—Termina aquí —le dijo a Tomasa—. Yo voy a ver cómo andan mis carcamanes.

Margarita y Goyo conversaban a murmullos en el sofá grande. Benjamín aún no volvía de su caminata. Sin despegar la vista del televisor, donde ahora un hombre de mandil inmaculado mezclaba ingredientes en una cazuela, Jacinta murmuraba un rezo al tiempo que sus dedos desgranaban las cuentas de su rosario. Amparo no se veía. Estará en su cuarto leyendo, se dijo Andrea y optó por permanecer cerca de Goyo y Margarita. No alcanzaba a escuchar la plática, pero quería estudiarlos a distancia, tal vez así sacara algo en claro. Deambuló un rato entre las mesas de juego y fingió concentrarse en los tableros de damas. La sala era aún más calurosa que el comedor y el pasillo, y pronto Andrea pudo reconocer el sabor salado de sus propios humores en los labios. Los jugadores, soñolientos, demoraban varios minutos en mover cada ficha. La jefa de enfermeras bostezó varias veces. ¿Por qué estoy tan cansada?, se preguntó. No sirvo para investigadora. Sin perder de vista a los conversadores, se puso a masajear los hombros tiesos de un anciano que contemplaba los movimientos sobre un tablero.

Al hablar el rostro de Goyo adquiría una expresión dura que por instantes se transformaba en la careta de un sátiro añoso, donde el tic del párpado izquierdo era un añadido torvo. Secundaba sus palabras con ademanes, y sus manos llenas de nudos y manchas describían en el aire caricias atrevidas, obscenidades demasiado evidentes. Andrea se ruborizó; sus orejas zumbaron. ¿No estaré imaginando de más? A lo mejor el pobre viejito sólo habla de comida o de cómo acomoda su almohada para dormir, y yo soy la malpensada. Goyo era el interno más antiguo, con casi una década en el geriátrico. Más que Andrea. Las enfermeras decían que durante los primeros años se la pasaba persiguiéndolas para enseñarles unos bichos de juguete que eran su más preciado tesoro y, ya que le hacían caso, meterles mano debajo del uniforme o darles un agarrón en los pechos. Sin embargo, los años y la soledad lo habían ido amansando. Nunca recibió visitas, ni cartas, ni telefonazos. La hija que vino a internarlo, le contó a Andrea la recepcionista del hospital, dijo que no la molestáramos por ningún motivo; que, si acaso, le habláramos para avisarle cuando se muriera. Al salir de aquí se veía aliviada, aliviada y feliz. Y ai sigue don Goyo, pensó Andrea en tanto contemplaba al viejo hablándole al oído a Margarita. Y no dudo ni tantito que la dichosa hija se haya muerto primero.

Margarita mantenía en el rostro su habitual gesto de fastidio. Escuchaba al anciano y veía el aleteo de sus manos sin inmutarse. Sólo de repente parpadeaba, fruncía la boca o respondía con algún comentario amargo. Era una vieja maledicente cuyo mayor placer consistía en insultar a los demás, sobre todo a los internos que casi no se movían. Si caminaban por el pasillo del brazo de una enfermera, los seguía por detrás imitando sus visajes de dolor, o los remedaba cuando pedían cualquier cosa. Antes del arribo de Amparo ella era la más sana, por eso se había dedicado desde el principio a hacerle la vida imposible. Y lo hace muy bien la méndiga, se dijo Andrea al recordar cómo le ponía sal en el café si la otra se descuidaba o le atravesaba obstáculos en el camino con ganas de que se rompiera un hueso. Lo curioso es que ya lleva varios días muy tranquila. Será porque alguien la relevó en las maldades. ¿Goyo? ¿O Benjamín? ¿O los cuatro juntos, incluida Jacinta? En ese instante Margarita se rio con una risa seca, ronca, como el ladrido de un perro. Palmeó a Goyo en la pierna y lo miró con complicidad. Andrea pensó en el contraste entre la actitud de esa anciana y el sufrimiento en que se hundía Amparo. Recordó sus quejas.

Me tocan, señorita, le había dicho tres tardes atrás. ¿Te tocan, Amparo? ¿Cómo? La anciana estaba paralizada por la vergüenza, le costaba articular las palabras. Me agarran… aquí… y aquí, sus manos temblaban al señalar los sitios de su cuerpo. Ah, ya entiendo. Has tenido pesadillas. No, señorita, su barbilla se cimbró a punto del llanto. ¿No son pesadillas? ¿Entonces? Amparo guardó silencio un instante; respiró para recuperar valor y alzó la vista al techo. Alguien se mete a mi habitación de noche, se acerca a mi cama y me hace tocamientos perversos. Andrea reprimió apenas la carcajada; ladeó la cabeza con el fin de evitar que Amparo viera su reacción. Me despiertan sus manos frías hurgando en mis piernas, sus pellizcos salvajes en mis... pechos. Ahora Amparo hablaba y lloraba al mismo tiempo. Yo quiero gritar y no me sale voz. Trato de apartar esas manos que aprietan como garras y no me dan las fuerzas. Sé que es alguien que conozco, pero en la oscuridad es imposible verlo. ¿Un hombre?, preguntó Andrea con cierta burla. ¡Claro que un hombre! Una mujer no sería capaz de tanta bajeza. Cuando está junto a mí no puedo moverme. Oigo su respiración, huelo su aliento podrido, a veces hasta suspira de gusto, como si estuviera... ¡Qué horror, Dios mío! Un hipo lamentable detuvo el discurso de la anciana. Cubrió su rostro con las manos y se ahogó en sollozos. Andrea, conmovida al fin, aunque no dejaba de pensar que se trataba de una pesadilla, le acarició la nuca en un intento por consolarla, pensando en lo vieja que se veía al llorar. Ni modo que sea el fantasma de don José, se dijo. De pronto Amparo hizo un gesto de terror puro para rematar su relación de los hechos. No sabe el pánico que me da dormirme, señorita. Sólo de pensar...

No. Es absurdo, decidió Andrea al ver a Benjamín retornar del pasillo con una lentitud increíble y buscar asiento cerca de Goyo y Margarita. Traía el semblante descompuesto y la boca abierta en una mueca agónica. Debe tratarse de pesadillas. No hay de otra. A ninguna de estas momias le queda fuerza por las noches ni siquiera para cenar, mucho menos para levantarse, ir a otro cuarto y volver a su cama sin que nadie se dé cuenta. Morirían en el intento. Benjamín tardó aún un rato en sentarse. Se inclinaba al frente y trataba de dirigir sus nalgas hacia el sillón, pero a medio camino se detenía, reacomodaba el trasero y lo iba bajando muy despacio. La jefa de enfermeras fue hasta él justo a tiempo, pues el anciano se había engarrotado a diez centímetros de su objetivo.

—A ver, Benjamín. Ahora suéltate. Déjate caer, yo te sostengo. ¿Ya ves? Pudiste.

Los observó sin decir nada. ¿Y si le estuvieran pagando a alguien? Quizás a un enfermero del turno de noche. No, ninguno de ellos tiene en qué caerse muerto. La frase la hizo sonreír. Margarita vio su sonrisa y le dirigió una mirada de odio. Ah, qué viejita tan cascarrabias, pensó Andrea. No me estaba riendo de ti, Márgara. Bueno, sí, en parte, pero no como tú crees. La única que parecía tener dinero ahí era Amparo; los demás llevaban años viviendo del erario, hasta Jacinta, a quien sí visitaban un nieto y tres bisnietos, que si acaso le dejaban unos cuantos pesos para que mandara traer de vez en cuando un dulce de la tienda del sanatorio. No, nadie te molesta por las noches, Amparo. Nomás tus sueños, concluyó enmedio de otro bostezo. En un rato voy a verte y aclaramos el asunto.

Cuando descansaba en la sala con los internos siempre resentía la ausencia de don José. Las vibraciones de su voz perduraban en ese espacio donde sus relatos habían adquirido forma. Ay, don José, suspiró. ¿Cuál habrá sido la causa de su muerte? ¿La vejez? No creo. Se veía bien. Aunque a lo mejor todos lo creíamos sano nomás porque no paraba de hablar, mientras por dentro el paso del tiempo lo consumía cada vez más. Lo habían encontrado una mañana ya frío, con los ojos abiertos, mirando el techo y, en la boca, esa sonrisa cordial que nunca lo abandonaba. Como el doctor no vino, nadie supo con certeza a qué atribuir su deceso. Ese día los demás habían permanecido horas sin moverse de la sala, en una suerte de velorio sin cadáver, y Andrea oyó llorar a algunos. No supo quiénes, ni si se trataba de hombres o de mujeres, pues en la vejez los tonos del llanto se mimetizan y los viejos lloran igual cuando alguien se les adelanta en el camino al otro mundo. Por la tarde, al llegar los enfermeros del sótano del hospital, el geriátrico en pleno los recibió con horror. Son los ángeles de la muerte, decían. Se llevaron el cuerpo de don José en una camilla, cubierto con una sábana. Al verlo desaparecer tras la puerta del elevador, la jefa de enfermeras supo que el recuerdo del contador de historias también se iba de la memoria de los ancianos para siempre.

En el silencio apenas roto por la tos aislada de uno de los internos, sumida en una modorra espesa a causa del bochorno y el zumbido de la pantalla, Andrea creyó escuchar de nuevo las palabras de don José. Respiró profundo y cerró los ojos para prestarles atención. Esta vez, en el más puro estilo de nota roja, el viejo contaba el accidente ocurrido bajo su ventana la noche anterior. Describía los gritos de las víctimas al salir de sus autos un segundo antes de que el tanque de gasolina estallara cubriéndolo todo de humo negrísimo. ¿Y a qué horas fue eso, don José?, interrumpió Margarita, yo no oí ninguna explosión. Si nunca oyes, mujer, aunque te griten en la oreja. Fue a eso de las tres. ¿Y qué, usted nunca duerme? No, yo estoy grande para perder el tiempo en sueños. No le creo, insistía Margarita. Y si durmiera, continuó el otro sin hacer caso, me perdería de espectáculos como el de la semana pasada, ¿no les conté? Se había dado cuenta de que su anécdota de explosiones y heridos no interesaba a su auditorio; al contrario, lo inquietaba. ¿Qué fue, don José?, Goyo intuía que el relato iba a gustarle, cuente, hombre, cuente. ¿Se acuerdan que les he platicado de la muchacha del edificio de enfrente? ¿La que es una belleza?, preguntó Benjamín. Ai viene otra vez este viejo con sus peladeces, se quejó Margarita. Cuente, don José, no le haga caso a esta amargada. Ojalá le dé una pulmonía por andar de exhibicionista. Ésa mera. Pues no me lo van ustedes a creer, aquella noche la visitó un hombre, su amante, y se pusieron a darle gusto al cuerpo sin apagar la luz. Don José, permítame decirle que es usted un pervertido fisgón; vámonos, Jacinta, esto no es para los oídos de las damas. ¿Damas?, preguntó Benjamín. ¿También había damas? Todos son unos viejos puercos, remató Margarita antes de alejarse del brazo de su compañera. Oiga, don José, dijo Goyo. ¿Por qué no nos contó eso al día siguiente que sucedió? No sé, Gregorio. Será porque estoy viejo y se me olvidan las cosas importantes.

Ésas eran las últimas palabras que Andrea le había escuchado al viejo contador de historias. Se me olvidan las cosas importantes. Porque estoy viejo. Las repetía ahora, entre sueños, y la imagen de la muchacha y su amante revolcándose desnudos en una cama de sábanas blanquísimas se le enredaba con la de don José persiguiendo a Amparo por el pasillo para pellizcarle las nalgas. No, don José, no sea usted pícaro, decía la anciana con mirada coqueta. Andrea sonrió. Tenía la boca llena de saliva y sin abrir los ojos masticó hasta sentir que un rastro viscoso le resbalaba por el mentón. Yo también babeo. Todos babeamos, menos Amparo. Quiso limpiarse con el dorso pero su mano se negó a obedecerla. Le dolían las plantas de los pies, la cadera, las articulaciones. La fatiga era una plancha que mantenía su cuerpo inmóvil. El rostro de Amparo tomó forma entonces en la oscuridad de sus párpados, comenzó a enumerar sus quejas y, al escucharlas, la jefa de enfermeras reconoció su propia voz, supo que eran los suyos esos ojos lacrimosos, esa barbilla trémula, ese cutis con verrugas y manchas marrones. No, dijo Andrea. Quítate. Déjame en paz. Tuvo el impulso de huir y su cuerpo permaneció adherido al sillón, yerto, sin fuerza. Un largo sollozo le roncaba en el pecho a punto de saltar a la garganta cuando sintió que una mano descarnada se posaba en su hombro. Luchó por despertar. La mano la sacudía. Aguzó el oído y no oyó ni un murmullo. Carraspeó una, dos veces. Hizo un esfuerzo y logró abrir los ojos. Frente a ella, Tomasa parecía preocupada.

—¿Un mal sueño, señorita?

—Sí —Andrea se limpió la saliva de las comisuras de los labios—. ¿Por qué apagaron la luz? ¿Qué hora es?

—Más o menos las cinco.

—Válgame Dios, ¿y la comida?

—Los viejitos hace rato comieron y se fueron a hacer la siesta.

—¿Por qué no me despertaste?

—Según Márgara, usted quería dormir un poco. De todos modos vine, pero al oírla roncar tan rico mejor le apagué la luz.

—¿Y Amparo? ¿También comió?

—No. Ahora que pregunta, no la vi.

Se puso de pie de un salto y su columna vertebral protestó con un crujido que volvió a atraer los ojos intrigados de Tomasa. Debió ignorar la punzada en la cadera para emprender la caminata. Todas las habitaciones lucían tranquilas. Demasiada calma, se dijo mientras su carne se balanceaba a cada paso. Algo va a suceder, o sucedió, o está sucediendo. Al pasar por el pabellón de bultos no pudo evitar la tentación de asomarse. Los ancianos sin conciencia reposaban el peso de su edad alineados contra la pared en perfecta quietud; sólo en algunas de las sábanas que los cubrían era posible advertir el compás de una respiración débil. Cuando llegó al fondo del pasillo sudaba otra vez. Golpeó con los nudillos bajo la placa que indicaba el número doce y una huella sebosa brilló en la puerta. Nadie respondía. Giró el picaporte.

—¿Amparo?

La luz estaba apagada y las cortinas impedían el paso del sol vespertino. Andrea se estremeció. El cuarto no olía a medicinas y desinfectante, como la última vez que estuvo en él, sino a enfermedad y corrupción. A orines y excremento rancio. ¿Cuánto hará que no lo ventilan?, se preguntó.

—Amparo, despierta. No has comido.

Los latidos de su corazón cambiaron de ritmo. Oía un resuello regular, mas de pronto supo que algo muy malo le había sucedido a la anciana. Encendió el foco y su mentón comenzó a trepidar, como si llorara sin llanto. Inmóvil, Amparo tenía boca y ojos abiertos, los puños crispados apretando la sábana. Lucía viejísima. Se acercó a ella y le puso la mano en la mejilla. No estaba fría ni caliente, sino tibia, como si su sangre, su vida misma se hubiera refugiado muy adentro del cuerpo, lejos de la superficie. ¿Qué te hicieron, viejita? Andrea le palpaba los miembros flácidos, miraba esa mirada vacía y el grito sin sonido que mantenía abierta la boca de dientes blancos y parejos. Un irrefrenable deseo de besar la frente de Amparo la hizo agacharse, pero antes de llegar al contacto escuchó que alguien entraba. Era Tomasa.

—¿Qué le pasó a la ancianita?

—¿No la ves?

—No me diga que ya se nos convirtió también en bulto.

La palabra que tanto usaba sonó ahora ofensiva en los oídos de Andrea. Sin responder, caminó en torno de la cama examinando a la interna. No había señas de ninguna enfermedad conocida, tampoco de que se hubiera dado un golpe. ¿Te hicieron algo, Amparito? ¿O es nomás la vida que se acaba? Iba a llorar por la anciana, por ella misma, y no estaba dispuesta a que la encargada del comedor fuera testigo del brote de su tristeza.

—Tomasa, ve a llamar a las enfermeras. Que vengan aquí dos, y que las otras preparen una cama en el pabellón grande.

—¿La va a mandar con los vegetales?

—¿Qué esperas?

Al salir Tomasa, Andrea rompió a sollozar en silencio mientras caminaba repasando con la mano los efectos personales de Amparo, los vestidos, el estuche de maquillaje, los libros, un cepillo para el pelo y otro para la ropa, las fotos de los hijos, las nueras y los nietos que aún no la visitaban. Un día de éstos van a venir muy sonrientes y se van a querer morir al verla. Suertudos ellos, por lo menos no contemplaron su derrumbe. Tomó uno de los libros y lo abrió al azar. Había subrayados en rojo en algunas páginas. Leyó dos líneas en las que se hablaba del dolor seco, hondo y contundente del abandono; cerró de golpe el volumen, que resbaló de sus dedos sudados y fue a dar bajo una cajonera. Los músculos de la espalda le ardieron cuando se agachó. Tuvo que arrodillarse para meter la mano en el espacio oscuro entre el mueble y el piso. Extrajo el libro cubierto de telarañas y estornudó sobre la carátula. Mientras se limpiaba la nariz, notó una silueta en un rincón junto a la pared. Volvió a meter la mano, esta vez hasta el fondo, en tanto sentía cómo la sangre se le agolpaba en la cabeza. Había dejado de llorar unos minutos antes sin darse cuenta; la humedad en sus mejillas no era llanto, sino sudor. Palpó un objeto esponjado y peludo. Apretó los párpados, contuvo un grito y su mano sacó a la luz la serpiente de felpa con botones de plata en los ojos, con el verde de las escamas ahora pardo a causa del polvo acumulado. La víbora de Goyo, se dijo. ¿Desde cuándo estará aquí? Seguro lleva semanas. O meses.

A pesar del ardor en la espalda, Andrea gateó por el cuarto en busca de más evidencias. Le quedaba claro que el falso animal no había cumplido la misión de asustar a Amparo, pues había resultado invisible incluso para las encargadas del aseo. En tanto husmeaba en el clóset, imaginó a Goyo arrastrando los achaques de sus noventa y cinco años por el piso con el fin de elegir el sitio estratégico donde colocar su bestia homicida, y sonrió embargada por una mezcla de ternura y alarma. Querer matar a la anciana con un juguete le parecía un acto de candidez, sí, pero la intención contenía también una crueldad infinita. ¿Por qué la odian así?, se preguntó y enseguida dio con la respuesta. No, no la odian. Es la habitación. El dichoso cuarto de don José. La ventana. La vista. Lo bueno es que Amparo nunca descubrió este animal. Sus gritos se debían a las pesadillas. Y las pesadillas eran sólo el anuncio del fin. Bajo un pesado sofá había una tarántula de plástico, tan escondida que Andrea no la vio sino hasta la segunda revisión. La recogió y comenzó a incorporarse. Le falta una pata, se dijo. Y tiene menos polvo. Consiguió la vertical entre resoplidos; su corazón latía muy rápido. Al escuchar pasos cerca de la puerta se guardó los juguetes en el bolsillo de la bata.

—Con su permiso, señorita.

Las enfermeras se dieron a la tarea de preparar a la anciana con el fin de trasladarla al pabellón colectivo. Andrea observó por unos instantes cómo manipulaban sus brazos inertes para colocarlos rectos, cómo volvían el cuerpo, cómo sostenían su cabeza para que no estorbara, como si Amparo ya fuera un cadáver. Cuando levantaron su camisón manchado para limpiarle la entrepierna, no soportó más la escena y salió. En el pasillo, algunos junto a la puerta de su cuarto, otros en corrillo a la entrada del pabellón grande, los ancianos que eran capaces de estar de pie interrogaban a Andrea con los ojos. Entre ellos destacaban los cuatro inseparables. Jacinta, con el eterno rosario entre los dedos, sólo interrumpía sus oraciones para alzar al techo unas pupilas líquidas y encomendarse a Dios. Margarita parecía sonreír con desdén, aunque entre las arrugas de su rostro era posible distinguir un atisbo de dolor y compasión. El tic de Goyo vibraba con rapidez, a pesar de que el viejo presionaba el párpado con la mano en un ademán semejante al de quien se limpia las lágrimas. Sin comprender del todo qué hacía allí entre los demás, Benjamín bostezaba una y otra vez dejando al descubierto sus encías sucias, molesto por haber interrumpido su descanso. Andrea les dirigió una mirada de reproche, pero decidió no decirles nada. Sólo apretó los animales de juguete sobre la tela del bolsillo.

—¿Qué le pasó a la reina? —Margarita había cambiado pronto la compasión por la ironía.

—¿Está enferma? —inquirió Benjamín enmedio de un bostezo—. ¿O se murió?

—No, no se ha muerto.

—¿Entonces?

—Nomás la vamos a cambiar de cuarto.

Fue como si esas palabras les hubieran inyectado energía. Tras oírlas, los cuatro comenzaron a moverse, de manera casi imperceptible primero, enseguida dando pasitos laterales de izquierda a derecha, de derecha a izquierda, mientras flexionaban las rodillas igual que si realizaran ejercicios de calentamiento. No sabían dónde poner las manos.

Goyo alzó la cara para mirar a los otros con aire de superioridad, de arriba a abajo, y la soberbia de su gesto lo rejuveneció varios años. Los labios de Margarita trazaron una mueca difícil de interpretar, enseguida se curvaron en una sonrisa maligna. Contagiado del entusiasmo, Benjamín abandonó los bostezos para mirar atento a sus compañeros en espera de que alguien le explicara qué ocurría. Viejitos cabrones, se dijo Andrea. Sólo Jacinta siguió en lo mismo; pasaba las cuentas del rosario con los dedos y murmuraba plegarias sin voz. Ninguno se había movido de su respectiva puerta, pero la ansiedad se hizo más notoria en ellos cuando las enfermeras sacaron la camilla del cuarto número doce. Amparo aún llevaba los ojos abiertos, aunque le habían cerrado la boca. Su expresión era menos angustiosa, casi apacible. Los ancianos la vieron recorrer el pasillo sin emitir sonido, sin un gesto que delatara su sentir. En cuanto la camilla desapareció, volvieron los ojos hacia la jefa de enfermeras. No la miraban a ella, sino la placa con el número doce situada un poco detrás de su cabeza. A ella ya la olvidaron. O no tardan. Así son las cosas. Amparo no tendrá cabida en sus recuerdos ni siquiera un par de noches.

—Se miraba bien hoy en la mañana —dijo Jacinta pensativa.

—Tú también te ves bien —le contestó Margarita—. Y no dudo que te dé el patatús dentro de un rato.

—Será cuando Dios disponga.

—Ay, tú y tus beaterías. Mejor síguele con el rosario.

—Déjala en paz, Márgara.

—Oiga, señorita —Goyo ya no se aguantó—. ¿Y qué va a hacer con el cuarto?

De nuevo las ansias reflejadas en los semblantes. Incluso Benjamín se retorcía la artritis de las manos en espera de la respuesta. Andrea los miró con tristeza uno por uno. No pensaba una respuesta; en su mente hacía eco la frase de Jacinta: Se miraba bien hoy en la mañana. No, no es cierto, se dijo Andrea. Amparo lucía mal. ¿Cómo iba a verse bien si se hallaba en el límite, a punto del derrumbe? El agua se agolpaba en los lagrimales de la jefa de enfermeras, quien impedía su desbordamiento apretando los dientes, respirando despacio, tensando los músculos de las piernas. Goyo y Margarita seguían atentos a ella. Benjamín bostezaba otra vez. Jacinta repasaba las cuentas del rosario.

Ninguno de ellos fue capaz de advertir el deterioro de la pobre vieja, pensó Andrea. Es natural. A sus ojos Amparo se miraba bien porque por primera vez la consideraban su semejante. Una ruina más, idéntica a ellos. Los miró de nuevo, ahora con un dejo de rencor, y supo que cada uno de esos cuatro rostros no era sino un espejo donde se reflejaba el horror que el futuro le inspiraba. Sus rodillas vacilaron y dio un paso hacia adentro del cuarto.

–Señorita, no ha…

La voz de Goyo se apagó al cerrarse la puerta. Andrea se sentía muy cansada, pero antes buscar reposo decidió dejar entrar el aire para que se llevara del cuarto el tufo de los deshechos de Amparo. Caminó a la ventana. Qué frágil es la memoria, se dijo. Aunque no ignoraba lo que había detrás, un largo suspiro ronroneó en su pecho al recorrer las cortinas. Después condujo su cuerpo vencido hasta la cama, se sentó sobre el colchón desnudo y, mientras contemplaba a través del cristal el muro de concreto con manchas de orín que se veía desde todas las habitaciones, se abrazó a sí misma.

Plegarias silenciosas

◆

para Élmer Mendoza

—Regresé, madre.

El único cuarto de la vivienda se hallaba a oscuras y Tadeo sufrió un estremecimiento al entornar la puerta: se sentía adentro una presencia extraña; una respiración ansiosa llenaba el espacio. Inquieto, rastreó en la oscuridad la silueta de Milagros, quien casi siempre lo aguardaba sentada a la mesa, pero esa noche era más negra que las anteriores y no le permitió distinguirla.

—¿Dónde está usted?

Palpó las tablas del muro hasta dar con el interruptor. No había luz. Me lleva, ya se volvió a saltar el pinche diablo, maldijo mientras esculcaba su pechera en busca de cerillos. Raspó uno contra la lija de la cajetilla y el cuarto se iluminó con una chispa que batió las sombras sólo para enseguida extinguirse con un siseo. Olía a cera quemada, a encierro, a iglesia antigua. Las manos de Tadeo perdieron firmeza, el desasosiego entorpecía sus movimientos. Por un instante imaginó que desde la negrura lo acechaban el comandante Cabrera y Camacho, que mantenían a su madre cautiva y se preparaban para torturarlos a los dos. Cuando pudo sacar otro cerillo, escuchó un rumor sordo, semejante al de una caja de cartón arrastrada por el suelo. La yerba, pensó. Esta vez puso cuidado en la operación y al mirar la lumbre arder en el hueco de sus manos respiró con alivio. Alzó la flama. No había ningún extraño; sólo la anciana dormitando sentada en el borde de la cama. Tadeo dio unos pasos hacia el mueble situado junto a la estufa, donde guardaba las veladoras. Prendió una y la colocó en la mesa.

—¿Volviste, Tadeo?

La voz de Milagros, que parecía reptar por las paredes, lo sobresaltó, aunque logró sostener la veladora encendida y vertical. Antes de responder, tomó otra y le dio fuego con el pabilo de la primera. La oscuridad disminuía.

—Sí.

—Te fue bien, ¿verdad?

—Gracias a Dios. ¿Cómo supo?

—Porque huelo que le estás poniendo sus lucecitas al santo.

—Es que no hay luz, ma.

—¿La vendiste…? ¿Toda?

—La que me llevé. Y bien vendida. Me pagaron bien. Mire.

Se arrimó a la anciana tendiéndole un fajo de billetes olorosos a sudor. En vez de tomarlos, ella se aferró al antebrazo de su hijo para levantarse y fue hasta la estufa apoyándose en los respaldos de las sillas.

—Este santo es bueno, ya lo decía yo. Con él de tu lado no hay comandante que valga. Siéntate. Te voy a hacer tu cena.

—No se moleste, madre.

—Que te sientes te digo.

Obedeció con un gesto de condescendencia que su madre no podía ver. Hundió el dinero en el bolsillo del overol y se acomodó en la mesa en tanto contemplaba a Milagros desenvolviéndose con soltura en la penumbra del espacio destinado a la cocina. Ése era su pequeño reino. Ahí se sentía segura, cerca de sus santos y armada con sus oraciones.

Desde el accidente que le había arrancado la vista, Milagros raras veces se aventuraba fuera de la vivienda. Ahí recibía la visita de las otras beatas de la colonia que le llevaban las noticias y los chismes que la mantenían en contacto con el mundo. Si nadie iba, pasaba las horas con el rosario en la mano, musitando padrenuestros y avemarías, esperando que Tadeo volviera con bien. Pero en ocasiones Tadeo dejaba de ir durante días, porque andaba de viaje o porque Camacho y el comandante lo habían detenido; entonces la anciana agarraba su bordón y caminaba con dificultad rumbo a la capilla del barrio para arrodillarse ante la imagen de la virgen de Guadalupe.

La manteca comenzó a crepitar en la cazuela. El olor a encierro pronto fue cubierto por otro, picante, terroso, que hizo salivar a Tadeo. Condujo una mano al estómago, se lo sobó y sus músculos se relajaron. Me va a caer bien un taco, se dijo. Luego recorrió con la mirada la pequeña vivienda. Entre los dos la habían convertido en una capilla dedicada a la veneración donde el peligro y las preocupaciones no tenían cabida. Tadeo disfrutaba el aroma de la cera al derretirse, el del incienso cuando había, el murmullo constante de los rezos de su madre, pero sobre todo gozaba esa paz sacra que tan sólo se rompía, como ahora, con el aceitoso chisporroteo de los alimentos que Milagros cocinaba.

Dirigió la vista a la parte superior del ropero donde, medio sumergidas en sombras movedizas, estaban las figuras de bulto de sus protectores. San Judas, su patrono, encabezaba la hilera con su manto verde, su medalla dorada en el pecho y en la diestra un bordón semejante al de la anciana. Junto a éste, el Niño Fidencio, sanador de cuerpos y almas, que Milagros y Tadeo habían traído de Espinazo, adonde peregrinaron con la esperanza de que ella recuperara la vista. Después de visitar cada uno de los lugares sagrados de ese pueblo, y de embarrarse de lodo pestilente desde las plantas de los pies hasta la coronilla en un zoquetal que los fieles llamaban El Charquito, Milagros concluyó que si el Niño no le permitía volver a mirar era porque Dios así lo había dispuesto. De todos modos no fue en balde el viaje, mhijo, le aseguró. Todavía estoy ciega, es cierto, pero sin dolencias, y eso también es de agradecerse a mis años. Tadeo se conformó de mala gana, aunque nunca acabó de entender por qué Milagros había insistido en llevar a casa la imagen de un santo a quien él consideraba un fraude.

Ahí seguía Fidencio, con su mitad sacerdotal y su mitad guadalupana, empolvándose a un lado de la Santa Muerte encaramada sobre el mundo, a quien su madre elevaba plegarias secretas. En el extremo reposaba la imagen más reciente del altar, la del santo-bandido Malverde, que él había comprado en su último viaje.

De cuál de ellos habrá sido la presencia que sentí al llegar, se preguntó en tanto volvía a percibir la respiración extraña. De nueva cuenta los contempló uno a uno a la distancia y, como si se adelantara del resto, el bandido sinaloense capturó su atención. Según Milagros, Malverde había sido un asaltante que siempre repartía el producto de sus robos entre los pobres, hasta caer preso de los rurales de Culiacán que lo colgaron de un árbol. Desde entonces Dios lo había hecho santo y protegía con su poder divino a quienes sabían agradecerle sus favores. Sí, seguro fue él. Quiere su recompensa, pensó Tadeo, y se puso de pie para llevarle una de las veladoras.

Era un busto en el que el salteador de caminos vestía camisa blanca, paliacate negro al cuello, tenía la piel sonrosada, cabello negro y bigote también negro con un corte fino. Gracias, Malverde, por tu protección, murmuró Tadeo al arrimarle la luz. Por librarme de mis enemigos y por haberme ayudado a vender la yerba. Amén. Iba a besar la frente de la estatuilla, pero se detuvo porque se trataba de un santo muy viril. Lo miró bien. Más que un hombre de Dios, Malverde parecía actor de cine.

—Oiga, ma, me acabo de dar cuenta que este santo es igualito a Pedro Infante.

—No tiene nada de raro, mhijo. Pedro también era de Sinaloa. A lo mejor hasta fueron parientes.

Sí, eso debía ser. Reacomodó el vaso con el fin de situarlo justo delante de Malverde, y al hacerlo acercó los dedos a la flama. Hubo un breve chirrido. Por instinto sacudió la mano y la penumbra se agitó en los rincones. Sin embargo, ahora estuvo seguro de que había sido una agitación amable, un saludo, una reverencia de bienvenida que le brindaban las sombras de la casa. La anciana seguía absorta en la estufa. No se da cuenta de nada, se dijo Tadeo en tanto comprobaba que sus dedos no habían sufrido quemaduras. La piel estaba intacta, salvo por la cicatriz que le había quedado a causa de un portazo del comandante Cabrera. Se santiguó y regresó a la mesa donde se puso a contar los billetes mientras Milagros terminaba de dar cucharazos dentro de la cazuela de barro.

¡Párate! El grito venía de lejos y antes de llegar a él se mezcló con el ruido del viento, el barullo de la gente y los pitidos de los carros. ¡Que te pares, pendejo! Iba distraído proyectando planes para el dinero que el Jarocho le había prometido por la mercancía. Cuando escuchó los zapatazos en la banqueta, creyó que se trataba de los pandilleros de la esquina en persecución de algún desgraciado. Luego reconoció la voz jadeante de Camacho que repetía la orden. ¡Tadeo! ¡Párate! ¡Quédate ai! Entonces volteó. El judicial daba zancadas muy cortas para su estatura, adelantaba los brazos, la cara parecía contraérsele a causa del esfuerzo y sus cachetes se zangoloteaban a cada paso.

Aunque su reacción fue tardía, Tadeo estaba seguro de poder sacarle ventaja. Arrancó por la acera, esquivando con un quiebre de cadera a los caminantes más cercanos, pero en cuanto se estrelló con una pareja de novios, lanzándolos contra el pavimento, optó por atravesar la calle. Corrió un buen trecho por el arroyo, junto a los coches que aguardaban el cambio de semáforo, y al ver que Camacho se quedaba atrás dio vuelta en la esquina. Ya me la pellizcaste, mastodonte. Por esa calle, a media cuadra, se abría un callejón cuyo extremo colindaba con un lote baldío. Aquí me le pelo, se dijo Tadeo. No recordó que los judiciales lo conocían bien y sabían sus movimientos. Al doblar, el puño de dedos anillados del comandante Cabrera se le hundió en el estómago. ¡Caíste como siempre! Las piernas se le aguangaron y se derrumbó junto a la pared. Una patada en el pecho lo sacudió enseguida, dejándolo sin aire. Dentro de su cabeza se generaba un rumor sanguíneo que, no obstante, le permitió oír los bufidos de Camacho al llegar. ¡Hijo de tu chingada madre! ¡Te dije que no corrieras! Los golpes lo aturdían, lo hacían sentirse mareado, lleno de asco. ¡A ver si así aprendes a obedecer, pinche jaulero! Ya, Camacho, déjalo. Tráete el carro. Y tú, Tadeo, ponte de pie. Lo intentó, pero su cerebro nublado era incapaz de dirigir el cuerpo y las corvas no le respondieron. ¿Por qué me detienen?, quiso preguntar y no oyó su voz. ¿Quién les dijo? Entonces sus tímpanos se dolieron con el chillar de unas llantas y un ardor en el cuero cabelludo le indicó que lo estaban levantando. Ya sabes lo que sigue, Tadeo. Súbete. Apoyó las manos en el carro y oyó que una de las puertas crujía. No sintió dolor, sólo presión en los dedos y un poco de ardor al ver correr su sangre. Luego unas esposas tintinearon. Te vamos a llevar un rato al hoyo para que nos respondas unas preguntas.

Después de perder y reiniciar la cuenta un par de ocasiones, acomodó el fajo sobre la mesa. Ni en sus mejores robos había conseguido una cantidad semejante, y aún quedaba el resto de los paquetes que había sacado de casa de Cabrera. Ésos ya estaban apalabrados con el Pelón, así que muy pronto duplicaría la suma. Voy a tener para llevar a la jefa con un doctor, para rentar una casa de material y hasta para comprar otra cama. Guardó el dinero al ver que Milagros estaba sirviendo un plato.

—Valió la pena el viaje hasta Culiacán, ¿verdad, ma?

No vuelvo a caer en el bote, no señor, pensó Tadeo en tanto probaba los chilaquiles. Ni ese cabrón de Cabrera ni el puto de Camacho me vuelven a ganchar. Mientras mamá y yo téngamos contento a Malverde, voy a seguir libre. Milagros puso frente a él una cerveza tibia y Tadeo la apuró porque el chile hacía que unas gotas de sudor le brotaran de la coronilla. No saboreaba la comida, se la metía en la boca y la masticaba con tenacidad, como si comer fuera parte de una rutina impuesta y quisiera salir de ella lo más pronto posible. Aunque si no hubiera sido por su última detención, no se habría enterado de que el comandante ocultaba tanta yerba en su casa.

Tras varias horas de interrogatorio, cuando lo creían desmayado, Camacho y Cabrera se habían puesto a fumar para bajarse el cansancio. Oiga, jefe, este infeliz ora sí no sabe un carajo. Ay, pinche Camacho, deveras nunca vas a aprender. Estos malandros así son: se hacen que la virgen les habla pero traen toditita la torta escondida en los riñones y hay que aflojárselos para que la suelten. ¿Ya te cansaste de pegarle? ¡Pos dale su agüita, güey! Este cabrón fue el que se enjauló anca los Zaragoza, me cae. Todavía ha de tener las pieles, y si las vendió nos va a decir a quién y qué hizo con la feria. Pero ya lo madrié bastante y no suelta prenda. Mírelo, hasta tose sangre. Si le sigo dando, capaz que se nos va. Pos lo aventamos al río, Camacho, no te apures. Las voces de los policías llegaban a Tadeo como filtradas por un muro. No sentía dolor, sólo aturdimiento, cansancio, ganas de morirse. Por momentos creía que no hablaban de él, sino de algún pobre infeliz tirado en el piso de otro separo que resistía la tortura con valor suicida. Orita que despierte vuelves a tupirle. ¿Ya no te acuerdas de los gabachos que no querían decir dónde habían clavado la mota? Mi comandante, ésos eran mariguaneros valines. Además los gringos son blanditos de por sí. Estos cabrones en cambio son retecorreosos, se acostumbran a las calentadas desde huercos. No importa, Camacho, tú nomás espérate a que se despierte y le das su agüita. Ahí está el piquín. Vas a ver cómo suelta todo.

—¿De cuál chile le puso al guisado, ma?

—Serrano. ¿Te picó? ¿Quieres otra cerveza?

—Échemela.

—Ten. Yo me voy a acostar. Tú también deberías. Has trabajado mucho.

—Me la tomo y me duermo. Descanse, madre.

Milagros retiró la cobija que cubría el colchón y la puso en el suelo de tierra. Tadeo veía sus movimientos un tanto borrosos desde la mesa. La anciana abrió el ropero, extrajo un sarape y lo extendió. Enseguida, con el rostro vuelto hacia donde brillaba la llama de la veladora, se sentó en el lecho bisbiseando peticiones al otro mundo. Él sabía que Milagros decía diferentes plegarias para suplicar favores de acuerdo con el poder de cada santo. A Fidencio le pedía salud. A la Santa Muerte, vida. San Judas, pastor de los desesperados y de los ladrones, era hasta hacía poco el encargado de velar para que salieran bien las actividades de Tadeo, pero ahora que había cambiado de giro y se dedicaba al comercio de yerba esa tarea recaía en Malverde.

Cuando terminaba de rezarle a uno, Milagros se persignaba antes de reemprender sus oraciones con otro. Esa noche despachó rápido a Judas, a Fidencio y a la Muerte, pero al llegar con el santo culichi entrelazó con fuerza los dedos de ambas manos y los llevó a la altura del mentón. A Tadeo le pareció ver que los labios de su madre se movían con fervor excesivo. El volumen de su voz fue en aumento. Milagros recitaba una letanía, semejante a un sollozo repetido. Si hubiera ido a Culiacán antes, se dijo Tadeo, Cabrera no me habría ganchado. Pero mamá todavía no me contaba de tu poder, san Malverde.

Esta vez, tras la invocación, hasta la anciana se dio cuenta de que algo raro ocurría dentro del cuarto. Volteó a los lados como si intentara reconocer un olor o un ruido.

—¿Tadeo, abriste la puerta?

—No.

Quiso decirle que él también lo había sentido, que no se asustara, que quizá se trataba del santo visitando a sus fieles para mostrarles que nunca dejaba de estar al pendiente de ellos, pero una masa gorda en la garganta le cerró la voz. Milagros había iniciado de nuevo sus plegarias, ahora con una sonrisa en los labios. Tadeo agarró la botella y bebió del líquido amargo, caliente, hasta sentir que la masa se diluía. Luego recargó los codos en la mesa y se cubrió la cara con las manos.

Camacho, ya despertó este jijo. Órale, a darle. No, jefe, no ha despertado. Nomás se está quejando en sueños. Ha de tener pesadillas. No te ablandes, Camacho. ¿Ya no te gusta el jale? No, no es eso, sino que se me hace puro desperdicio de fuerzas: pa mí que este rata no sabe nada. ¿Y luego lo que nos aseguró el Pollo Calderón? Entonces fue el Pollo, pensó Tadeo procurando no moverse justo cuando comenzaba a sentir una brasa en el estómago. Él me puso el dedo. El ardor se convirtió pronto en un dolor agudo que se iba desparramando por el hígado, por los riñones, por la columna vertebral con fuertes punzadas. Camacho no golpeaba al azar; acomodaba el puñetazo allí donde hacía daño, donde el dolor duraba y crecía. Tadeo comprendió que no podía fingir su desmayo por mucho tiempo más: un grito ya le recorría las entrañas y no tardaría en alcanzar su boca. La verdad es que al mentado Pollo yo no le creo, comandante. Siempre nos da nombres nomás pa sacarle al bulto. ¿Y lo de los gabachos qué, güey? Nos dijo que habían comprado lo menos cien kilos de yerba y ésos fueron los que les atoramos, ¿o no? Sí, eso fue neta, pero ni así le tengo confianza a ese cabrón, mi comandante. El sufrimiento de Tadeo estaba a punto de desbordarse. Apretaba las mandíbulas mientras sus huesos temblaban y su rostro se cubría de un sudor helado, como en un acceso de fiebre. Me estoy quebrando. Debo hacer un esfuerzo. Maldito Pollo hijo de puta, deja nomás que te agarre. Tosió, y escupió un gargajo de sangre. Oiga, jefe, ¿y usted ya vendió su parte? Yo no vendo a lo tarugo como tú, Camacho. Todavía la tengo clavada en la casa. Estoy esperando a un compa del otro lado, me la paga bien. Además, ora chance y el negocio se duplique: le voy a ofrecer las pieles que le bajemos a este pendejo. Tadeo ya no pudo contenerse. Al tiempo que un gemido largo y agudo, como el de un perro apaleado, se le escurría entre las mandíbulas, un líquido cálido de olor acre resbalaba de su entrepierna al piso. Mire, jefe, ya se despertó el angelito. ¡Y meado! A ver, Camacho, jálatelo para acá, rápido. Agarra la botella y el piquín, yo te lo detengo.

¡Ora sí, pinche puerco! ¡Nos vas a decir dónde están los cabrones abrigos que le birlaste a los Zaragoza! ¡Habla o aquí nos quedamos hasta que se te funda el cerebro!

Incluso acostada, Milagros continuaba moviendo los labios en una plegaria silenciosa. Al observarla Tadeo sintió escozor dentro de la nariz. Se la estrujó, después se talló los párpados, al final respiró hondo sólo para comprobar que nada obstruía los senos nasales. Pinche comandante, pensaba. ¿Qué dices ora? Según tú muy chinguetas, pero soy yo quien está vendiendo tu mota. Tomó la veladora y fue al rincón. Abrió una caja y a la luz de la flama repasó los ladrillos de yerba envuelta en celofán. Se llenó con el aroma y, por un segundo, tuvo el impulso de abrir un paquete para forjar un cigarro. Lo prometiste, Tadeo, se recordó. Estás jurado con san Judas y la virgen. Recogió la colcha. La tendió junto a la cama de su madre. Luego se echó sobre ella pensando que al día siguiente, cuando le entregara los ladrillos al Pelón, se vería libre de tentaciones.

Vista desde el suelo, la vibrátil silueta de Malverde era la de un gigante en actitud alerta: hombros en escuadra, torso erguido, cabeza alta, firme. Conforme la llama descendiera dentro del vaso, la sombra crecería en la pared, alcanzaría las láminas del techo donde, después de quebrarse en ángulo recto, se extendería hasta dominar todo el cuarto con su presencia. Tadeo lo había visto las noches anteriores. Un temor reverencial lo embargó, el mismo que se había apoderado de él al entrar con paso dudoso en la capilla del santo.

La idea del viaje a Culiacán había sido concebida por Milagros como el pago de una manda anticipada. Se le ocurrió después de enfermarse de angustia los días que duró uno de los interrogatorios de su hijo. Cuando Tadeo regresó hecho un santo cristo a causa de los golpes, por primera vez desde el accidente agradeció al cielo la ceguera de su madre. Pero no pudo evitar que durante las noches ella escuchara sus quejas, los gemidos de terror, las súplicas entre sueños. ¡Por la virgencita, comandante! ¡Ya no me peguen! ¡No soporto más! ¡Yo no sé nada!

Una mañana, mientras Tadeo se vestía procurando que las heridas no le escocieran, Milagros le puso un montón de billetes arrugados en la mano. Son mis ahorros, dijo. No es mucho, pero te ajusta. ¿Para qué, ma? Tienes que cambiar de patrono porque esa gente está enconada contigo. En Culiacán hay un santo que es enemigo de la policía. Ese dinero es para el camión. Ve, pídele ayuda y tráetelo para acá. Estoy segura de que te va a hacer caso si lo visitas.

—¿Ya te dormiste, mhijo?

Tardó en reconocer la voz cavernosa, hombruna, de Milagros y la impresión le rasguñó el vientre.

—Estoy despierto, ma.

—Es que se me olvidaba… Vino Elenita, la de don Poncho Treviño, la de la esquina. ¿Sí sabes?

—¿No era viudo ese viejo?

—Se tomó un café conmigo y me dijo que en la orilla del río hallaron el cadáver de un hombre. Quesque estaba retegolpeado y ya llevaba varios días en el agua. Se me hace que te lo he oído mentar. El Pato… algo así. No, le decían el Pollo.

La sombra en la pared tiritó con un cambio de luz. A Tadeo se le fue la sangre al cráneo y un mareo lo hizo apretar los párpados. Sus pupilas se llenaron de círculos de colores. Milagros continuaba hablando. Describía las marcas de las heridas en el cadáver igual que si hubiera estado en la ribera, pero su hijo no la escuchaba, su mente había retrocedido a los separos donde los judiciales fumaban mientras él se tragaba en silencio su propia sangre. Mencionaron al Pollo, recordó. Era su soplón. Seguro también lo jalaban seguido al agujero para darle su calentada y ahora se les fue la mano. Aunque pensaba que el Pollo se merecía todos los males por traidor, no pudo evitar un acceso de lástima.

—¿Se apellidaba Calderón?

—Ése. ¿Era tu amigo?

—Lo conocía nomás.

—Pos quién sabe quién lo haya matado. Pobre. Yo ya no entiendo el mundo, mhijo. Bueno, te quería contar. Ora duérmete.

Rodó sobre la cobija con objeto de darle la espalda a su madre y a la sombra del santo. Cabrera y Camacho. No hay duda, fueron ellos, se repetía. Lo madrearon para que escupiera quién se robó la yerba. Giró de nuevo hasta quedar bocabajo. Imaginaba al comandante, más enfurecido que nunca, gritándole a Camacho que pegara otra y otra vez. ¿Y si se nos muere, jefe? Lo tiramos al río, no te apures. Tadeo no encontraba acomodo. En cualquier postura sentía la respiración densa, difícil, como si sus pulmones necesitaran más espacio para llenarse de aire. El pensamiento de que el Pollo había muerto por culpa suya no lo dejaba en paz. ¿Y si para detener la golpiza me señaló? No tenía cómo saber que yo fui, pero igual ya me había acusado antes. Tras incorporarse un poco, volteó con temor hacia la puerta. Enseguida recordó que Milagros había dicho que el cuerpo llevaba días en el río. No, ya hubieran venido. Miró al ropero. Además, tú me proteges, ¿verdad, Malverde? Esta vez la sombra permaneció inmóvil, igual que una plasta de carbón en la pared.

Al pisar el interior de la capilla se había sentido desilusionado. Esperaba algo suntuoso, que indicara grandeza, poderío. Caía la tarde en Culiacán y los últimos rayos solares, si bien recalentaban la construcción, no llegaban hasta el altar. La calle era ruidosa; había tráfico nutrido y mucha gente en las aceras. Tadeo se agachó para cruzar el umbral del adoratorio y adentro se encontró con el busto del santo-bandido flanqueado por san Judas y la virgen de Guadalupe. ¿Éste es el protector del que hablaba, madre? La escultura de porcelana, de trazos toscos y mal pintada, le pareció poca cosa enmedio de aquel hervidero de flores, veladoras ardientes y exvotos. El aire cargado de olores grasos, el techo muy bajo y lo estrecho de los muros oprimían el ánimo. No obstante, Tadeo se arrodilló en el único reclinatorio, hizo la señal de la cruz y, tratando de reprimir su desconfianza, oró en silencio. Como no creía que un santo de tan modesta apariencia pudiera ser tomado en serio, no se ocupó en meditar sus súplicas. Sólo abrió la mente para dejar fluir sus temores y deseos, y antes de que se diera cuenta ya estaba implorando, exigiendo suerte, protección y venganza, sobre todo venganza contra sus enemigos. Que pagaran las ofensas que le habían hecho, que sufrieran el triple de lo que él había sufrido, que murieran si era necesario pero que nunca más se atravesaran en su rumbo. Balanceaba la cabeza, apretaba los puños, se golpeaba el pecho y la frente, gemía con pasión, repetía entre súplica y súplica las oraciones que Milagros le había enseñado de niño y al hacerlo sus labios se cimbraban con un entusiasmo que fue creciendo conforme la noche descendía y se hacía más honda.

Estuvo de hinojos hasta que el retumbar de unos pasos lo sacó del trance. Vienen para acá, reconoció. Sólo entonces se dio cuenta de que ya no se oían otros ruidos en la calle. Sacudió la nuca para despabilarse y se restregó los ojos. Estoy todo tieso. Apenas había conseguido ponerse en pie, tembloroso, cuando las pisadas llegaron detrás de él. ¿Me das chance, compa? El tono era autoritario. Al volverse, Tadeo se topó con un tipo moreno y bajo de estatura, de tejana, saco, camisa y pantalones negros, corbata blanca y botas de una piel que no supo identificar. Llevaba los dedos cuajados de anillos. Tadeo se hizo a un lado para cederle el reclinatorio y aspiró el aroma fresco de su loción, que ya se enredaba con los olores abigarrados del altar. Antes de arrodillarse, el hombre se descubrió la cabeza. Enseguida murmuró unas palabras y se quitó los anillos para depositarlos junto a las veladoras. Extrajo un sobre grueso del bolsillo trasero de sus pantalones y también lo puso frente al busto del santo.

Afuera corría el aire limpio y Tadeo respiró con libertad. Un anciano se aprestaba a recoger el último tendido de estampas, fotografías, hojas de oración y escapularios. Tadeo caminó hacia él. ¿Va a llevar algo, joven? Sí, quisiera una imagen de bulto. Mientras pagaba, advirtió que en la calle había dos camionetas estacionadas, cada una con tres hombres dentro que lo miraban con recelo. Pensó en sus cuentas pendientes e iba a pegar la carrera, mas el viejo, notando su inquietud, se apresuró a tranquilizarlo. No tenga cuidado, joven. Son los hombres del señor, señaló con la barbilla el adoratorio. Están ahí para librarlo de cualquier mal. ¿Usted lo conoce?, preguntó Tadeo. En la ciudad todos lo conocemos. Es uno de los meros chacas. Cada vez que mete un cargamento grande al gabacho se da su vueltecita por aquí para mostrar su gratitud. A mí se me hace que con esta ofrenda volvemos a remozar la capilla completa. Ai donde lo mira, es muy devoto, por eso siempre le va bien. Tadeo salió del templo rumbo a la central de autobuses dispuesto a tomar el primer camión que lo regresara junto a Milagros. Avanzaba rápido, iba contento, con la sensación de que este santo deveras era efectivo. Ora sí voy a hacerme de centavos. Ya es hora, ¿no? Llevaba a Malverde apretado al pecho, protegiéndolo con ambas manos, y sentía el cuerpo ligero, limpio, como si en cualquier instante pudiera levantar el vuelo.

Ahora, en tanto veía a la sombra ganar tamaño en la pared, no paraba de pensar en el cadáver abandonado en el río. Los remordimientos se le habían enredado en las tripas y se le retorcían como un montón de gusanos. Sí, yo quería que pagaras, Pollo. Perdóname. Lo pedí aquella tarde. Y seguí pidiéndolo sin pedirlo cada que miraba el altar de mi madre. Pero nunca creí... Pobre Pollo. Cerca de él se escuchaba el roce acompasado del resuello de Milagros en su dentadura incompleta. Descansaba con el sosiego de quien carece de complicaciones. Tadeo, por el contrario, sentía la habitación como si fuera la primera vez que se acostara en ella: el piso demasiado blando, bofo; la cobija húmeda y grumosa, el aire tosco. Por momentos lo envolvía una onda de calor y enseguida le daba frío. Aunque estaba exhausto, durante mucho rato no consiguió despejar la mente. No fue sino hasta cuando se presionó los ojos con el antebrazo que la oscuridad cubrió poco a poco su entendimiento, arrastrándolo al vacío.

Durmió. Mas su reposo fue agitado, lleno de imágenes brutales, de gritos y amenazas, de golpes de memoria que le zarandeaban el cuerpo arrancándole lamentos. Soñó con un gigante que le exigía el pago de un servicio; un tipo alto, nervudo, de brazos larguísimos, cuya voz, semejante a una ráfaga de viento, le soplaba en la cara empujándolo hacia atrás. Cuando el gigante aspiraba, Tadeo comenzaba a ahogarse porque el otro consumía todo el oxígeno a su alrededor. Luego se desvaneció en la negrura como una mancha que se lava con un cubetazo de agua. No supo en qué momento dejó de soñar, ni si las voces que escuchó durante lo que le parecieron horas formaban parte de otro sueño o se trataba de su madre conversando con alguien dentro del cuarto. Una punzada en la cadera luchaba por devolverlo a la conciencia. La apartó de un manotazo igual que si fuera un insecto. Lo atacó un olor a cebolla frita. Le entraba por la nariz y se le metía hasta el fondo del cerebro, inundándole la boca de saliva. Su estómago ronroneó. Tadeo alzó los párpados.

La luz cuajada de polvo apenas daba color a los objetos y no le sirvió para calcular la hora. Ha de ser muy tarde, se dijo. Aunque la cita es hasta la noche: el Pelón tiene que agenciarse los billetes primero. Se incorporó, estiró los brazos y tensó las mandíbulas en un largo bostezo. Los huesos de su columna crujieron, reacomodándose. Buscó a su madre con la vista. ¿Dónde se metió? Milagros se había encogido y había adelgazado tanto a partir de su ceguera que podía pasar desapercibida por momentos. Tadeo la descubrió en un hueco entre la estufa y el mueble donde guardaba las veladoras. Al principio creyó que se escondía de algo o de alguien, pero pronto dedujo que sólo se había parado ahí para vigilar de cerca las cazuelas al fuego. Pobre, se condolió Tadeo. Así todo le cuesta más trabajo. Si yo hubiera estado con ella esa vez, orita seguiría como antes.

Había sucedido meses atrás. Tadeo se encontraba en los separos de la judicial a causa de otro pitazo. Al cuarto día de apando, en solitario, muerto de hambre y sed, sin saber ya qué cuento contar para que lo soltaran, la puerta se abrió y en el umbral se delineó la enorme sombra de Camacho. Lárgate. ¿Cómo dijo, señor? Que te pintes de aquí. A tu jefa la atropelló un camión y se está muriendo. Se le olvidaron los malestares y caminó de prisa a la calle junto con el judicial, que ya no pronunció palabra aunque llevaba en el rostro un gesto de compasión. Después le dijeron que Milagros se había enterado de que su hijo no andaba perdido en las drogas, como ella suponía, sino que estaba preso, y al cruzar corriendo una avenida para ir a buscarlo a la comandancia un autobús se la había llevado de encuentro, lanzándola varios metros por el aire. Tadeo acudió a la Cruz Roja y no le supieron dar razón. Fue a otros hospitales, recorrió las salas de emergencia, las de terapia intensiva, los cuartos individuales. Nada. Regresó a su casa con el espíritu tan decaído que ni siquiera era capaz de llorar. Abrió la puerta y, al prender la luz, una silueta engarruñada en el suelo le provocó un sobresalto. ¡Madre! ¿Está usted bien? Sí, mhijito. No me duele nada, gracias a la virgen. Nomás que ya no voy a poder trabajar. Y tampoco voy a poder mirarte nunca.

Una deuda más a tu cuenta, pinche comandante, se dijo en tanto contemplaba los hilos de vapor que ascendían de las cazuelas al techo. Luego pensó en el cadáver hallado en el río y se burló de sí mismo al recordar los remordimientos que lo habían atormentado durante la noche. Carajo, las tonterías que uno llega a creer. En el altar su veladora se había consumido y Milagros la cambió por dos velas, una para la Santa Muerte y otra para el bandolero. Tadeo se puso de pie y se acercó en silencio, tratando de no perturbar el trajín de su madre. Las velas eran gordas y emitían una luz limpia que magnificaba las imágenes. ¿Por qué sólo le puso a estos dos? La muerte, oronda de su poder, apoltronada sobre el mundo como si lo empollara, mostraba a Tadeo su doble hilera de dientes. Malverde parecía sonreír bajo el fino bigote y en sus pupilas relampagueaba de cuando en cuando el reflejo de las llamas.

—¿Te levantaste, Tadeo?

De nuevo la voz de Milagros retumbaba igual que si brotara de las paredes, viscosa, como si se adhiriera a las cosas evitando el aire.

—Sí.

—Ven. Esto ya va a estar.

—Madre, ¿por qué le puso velas nomás a dos santos?

Ella se apartó del calor de la estufa. Usó los respaldos de las sillas a manera de pasamanos y avanzó hasta el centro del cuarto, muy cerca de Tadeo. Enmedio de dos telarañas de piel marchita, sus ojos parecían los fragmentos de un espejo roto.

—Porque a los otros no tengo nada que agradecerles.

Es verdad, pensó él. Fidencio no le ha cumplido todavía. Y Judas hace mucho tiempo que me abandonó. Mientras tomaba su sitio en la mesa, por la mente de Tadeo desfilaron los recuerdos de la soledad del apando, de las persecuciones por calles populosas, de las golpizas, de las infernales sesiones con chile piquín y agua mineral, de los gritos del comandante ordenándole a Camacho que golpeara otra y otra vez. Casi volvió a sentir el dolor de la tortura. Nunca más, se repetía cuando su madre dejó un plato repleto y unas tortillas frente a él.

—¿Usted ya almorzó?

—No, hijo. Ya ves que nunca me da hambre.

Los primeros bocados le transformaron el humor. De pronto se sintió lleno de confianza y ambiciones. El trato para realizar la yerba ya estaba hecho; sólo debía ir a entregarla y recibir el dinero. El Pelón era de fiar. Como no veía obstáculos en su futuro, comenzó a trazar planes: tras esta venta, conseguiría un proveedor seguro. Compraría más, mucho más de la cantidad con la que había empezado y no se conformaría con vender aquí, no, viajaría al gabacho, haría contactos, establecería rutas de transporte. Tendría que contratar gente, claro, un ejército de sicarios montados en buenas camionetas y armados con cuernos de chivo, sólo así podría organizar un cártel en el cual sería el mero chaca. Tadeo sonreía con toda la boca, masticaba fuerte, resoplaba. Se visualizaba bien vestido, lleno de joyas. Escuchaba los corridos que le compondrían. A cada paso proyectado en su imaginación, volteaba de reojo al altar en un guiño a Malverde. Ya se ubicaba en la cumbre, con los periódicos hablando de él cada día, con los agentes de la DEA tras su pista, amigo de generales y gobernadores, siempre bajo la protección del santo sinaloense a quien iría a rendir tributo después de cada cargamento enviado más allá de la frontera, igual que aquel hombre que había visto arrodillarse en el adoratorio.

—Tas contento, ¿verdad, mhijo?

—Mucho.

—¿En qué piensas?

—En lo que vamos a lograr de ora en delante. Ya empieza a irnos bien, ma. Se lo dije ayer, con la ayuda de este santo, Cabrera y todos sus chalanes me van a hacer lo que el aire...

—Ya no tienes que preocuparte por el comandante.

—No, ya no. Nunca.

—Hoy volvió a venir Elenita, la de don Poncho. Tú estabas dormido...

Sí fueron voces lo que oí entre sueños, se dijo Tadeo. Don Poncho Treviño... Estoy seguro de que era viudo. ¿Se habrá conseguido otra? Milagros siguió contándole a Tadeo algunas noticias de la gente del barrio con voz monótona, mas él no la escuchaba. Lo distrajo una repentina penumbra dentro del cuarto, como si allá afuera una nube hubiera eclipsado el sol. Entonces, igual que la noche anterior, las velas encendidas acrecentaron la sombra de Malverde, ahora acompañada de la de la Santa Muerte, hasta hacerla llegar al techo. Tadeo dejó de sonreír. A la luz de las flamas, ambas sombras se tocaron, se fundieron en una mancha informe que palpitaba semejante a un enorme corazón negro.

—...me dijo que los encontraron, a los dos judiciales, ahí mismo donde sacaron ayer el cadáver de ése que era tu amigo. Igual, con los cuerpos torturados, sin uñas, con quemadas por todas partes, creo que dijo que hasta los caparon. Y que les habían dado el tiro de gracia en la nuca...

Cerró los ojos. No quería ver más. Deseó quedarse ciego como su madre para no seguir contemplando el crecimiento de la mancha en el muro. Pero ni aun con los párpados apretados pudo escapar del rostro de Cabrera, ni de los puños de Camacho que dosificaban la fuerza de sus golpes, ni de sus propios gemidos cada vez más débiles. Las voces resonaban en sus tímpanos. Mire, comandante, este hijo de la chingada no deja de vomitar sangre. Es puro cuento, Camacho, dale otro putazo. A ver, tú, maricón, ¿ya te acordaste dónde escondiste las pieles? ¡No te oigo! ¡No lloriquees y habla claro! Dice que él no se las robó, jefe. Otro putazo, mi buen Camacho. Vas a ver cómo sí se acuerda. ¿Verdad que te vas a acordar, cabroncito? Esas cosas no se olvidan. A ver, haz memoria. Comandante, yo creo que se nos está yendo. ¡Qué se va a estar yendo ni qué la chingada! ¡Zúmbale otra vez para que se aliviane!

—...que creen que se trató de una ejecución o un ajuste de cuentas. O de una venganza. Que segurito algo tenían pendiente con alguno de los meros capos, algún chaca de los de más arriba, quesque porque ésos son sus métodos. ¿Tú crees, mhijo?

A su pesar, Tadeo volvió a abrir los párpados. La sombra de las dos figuras no paraba de agitarse, sus contornos papaloteaban como si mostraran alegría. Se sintió leve, sin peso y sin ataduras al mundo. Comenzaba a comprender. Entonces, las voces en su cabeza se mezclaron con las palabras de su madre en un remolino de sonidos que venían de muy lejos, aturdiéndolo. No, comandante, yo creo que ya se nos fue. ¡Échale agua! No se nos puede pelar sin decirnos qué hizo con la mercancía. Un cubetazo le limpió la sangre del rostro. Después un estertor fuerte le presionó las costillas. Su cuerpo se cimbraba. Un líquido salado y amargo le colmó la boca, encogiéndole la lengua. Tadeo distinguía sus latidos que poco a poco se volvían lentos, espaciados. Tenía frío. De pronto, su propia sangre comenzó a asfixiarlo. Tosió.

—Cuidado, mhijo. Mastica bien. No te me vayas a ahogar.

Milagros lo tomó del brazo para ubicarlo y le dio dos palmadas en la espalda. Él la contempló sin reconocerla durante unos instantes. Era pequeña, tenue, casi transparente. Su trato se había hecho más bondadoso conforme su fe aumentaba. Los ojos de Tadeo se llenaron de lágrimas de pronto, al tiempo que su pecho se hinchaba con una paz que nunca antes había sentido. Después miró las paredes de la vivienda, los límites de su único reino.

—Yo creo que ya no voy a salir hoy.

—Qué bueno. Así podemos rezar unas plegarias para nuestros santos. Ya ves que nos han concedido todo lo que les pedimos.

—Sí. Venga, madre, acompáñeme. Vamos a hincarnos.

Fotocomposición: Logos Editores
Impresión: Litográfica Ingramex S.A. de C.V.
Centeno 162-1, Col Granjas Esmeralda
México D.F. 09810
25-XI-2006